LOUVRE
musée du

從羅浮宮看世界美術

蔣 勳◎著

東華書局

前言 我與羅浮宮

1972 年到巴黎讀書，我與羅浮宮就結了不解之緣。我當時修藝術史的課，憑著一張學生證，任何時候，不用買票，隨時可以進羅浮宮。

羅浮宮在巴黎市中心，我又喜歡在巴黎走路，常常經過羅浮宮，想到一張畫，就進去看一看。只看那一張，看完，做了筆記，出來在塞納河邊坐一坐，看看河水，想一想剛才畫裡的色彩光影，再繼續做其他的事。

後來我才發現，進博物館，只看一件作品，是多麼奢侈的事。

大概在 1973 年開始，我就接了一個旅行社兼職導遊的工作，專門接待到巴黎旅遊的華人。其中多半以台灣的遊客為主，偶爾也接到香港、新加坡的華人團體。

到巴黎旅遊，羅浮宮當然是最重要的一站。

旅行社也看重我對藝術史的專業，可以在講解羅浮宮作品上發揮我的所長。

1970 年代，台灣的歐洲旅遊才剛剛開始。一組旅行團的人數通常在四十人左右。為了吸引顧客，常常要找一位豔星作號召。時間的安排更為奇特，常常是三十天跑十八個國家。

一個社會在富有的初期，從封閉走向開放，對外面的世界充滿好奇。渴望在最短的時間看到最多的東西，渴望用最低廉的價格買到最多的物品，「俗擱大碗」的價值觀因此是完全可以理解的。

因此，我的工作常常是在巴黎的奧利機場——當時還沒有戴高樂機場——接團。他們通常已經去過倫敦，從倫敦飛巴黎，台灣的時差還沒轉過來，睡眼惺忪。我在車上介紹巴黎，在後視鏡裡看他們或向窗外張望，或疲倦到沉沉睡去，心裡有許多不忍。

這樣的旅遊團通常在巴黎的時間只有一天，有些景點是指定一定要去的，例如：艾菲爾鐵塔、凱旋門、凡爾賽宮、蒙馬特紅磨坊，而且一定要有一張自己與景點標誌的照片。

羅浮宮當然也是一定要去的景點，時間連頭帶尾一共兩小時。指定要看到的作品，有蒙娜麗莎的微笑、米羅的維納斯、勝利女神雕像，所謂的「鎮館三寶」。

當時羅浮宮還沒有改建，只有一個入口，陰暗陳舊，動線很呆板，因此看完米羅的維納斯，要走出希臘館，上樓梯到二樓，穿過大長廊，為了爭取時間，一路用小跑步，跑到長廊中段右轉的一個小房間，看到人山人海的觀眾密密麻麻簇擁在「蒙娜麗莎的微笑」面前。

當時台灣的遊客很勇敢，理直氣壯，用台語說「惜捌、惜捌——」如同摩西分開紅海，一路分開各國遊客，走到畫前面，在眾人還搞不清狀況的時候，獨得先機，拍到一張自己與蒙娜麗莎微笑的合影照片。

領隊一直催促他們，因為他知道要跑出羅浮宮，在杜勒麗公園找到遊覽車起碼還要四十分鐘的時間。

從那個時候開始，我知道能夠進羅浮宮，沒有時間壓力，只看一件作品的幸福。我也知道，看完一件作品後，走到塞納河邊呆坐，回想畫中色彩光影的幸福。

羅浮宮像一套滿漢全席的大餐，琳瑯滿目，沒有好的導引，不知如何下手，不知從何下手。

許多人去了羅浮宮，只留下在裡面小跑步的經驗記憶。不只台灣遊客在小跑步，全世界的遊客都在小跑步。美國人跑完，日本人跑，日本人跑完，台灣人跑，這幾年是韓國人在跑，又加上剛開始的中國大陸人也來小跑步了，人數之多，更為壯觀。

上一世紀七〇年代羅浮宮的故事，給我許多反省：我所學習的「藝術」，我所學習的「美」，我所留戀徘徊的「羅浮宮」，究竟是什麼？究竟有什麼意義？對一般大眾，「羅浮宮」應該只有在裡面「小跑步」的記憶嗎？只有與「蒙娜麗莎的微笑」合影留念的記憶嗎？

那一個年代到歐洲旅遊的台灣遊客，多是白手起家中小企業的第一代。他們平日辛勤工作，省吃儉用，在巴黎的旅途中看到他們帶著泡麵，帶著年老出身農家的父母，站在米羅的維納斯雕像前面。老太太無法瞭解為什麼一個裸體女人是「鎮館之寶」，我講了很多，關於維納斯，關於希臘神話，關於希臘對身體的歌頌，來自台灣鄉下農家的老太太還是無法瞭解，她忽然轉頭用台語問我：「這啥人せ某？」

「這是誰的老婆啊？」

我愣了一會兒，我知道維納斯的丈夫是武器之神福爾坎，但老太太顯然不是要知道這一故事。她或許是無法瞭解維納斯「美」在哪裡？一個赤裸裸的女人，沒有丈夫管嗎？她心中充滿疑惑。是的，羅浮宮對她而言只是一個滿滿都是疑惑的奇怪地方。

我學習「藝術史」，我學習「美」，有一天，如果我無法回答這樣一位老太太的疑惑，我的學習有何意義？

藝術與美，在學術專業的領域討論，使用專業術語，其實並不困難。兩個都在寫藝術博士論文的學生彼此談維納斯也不會有溝通上的障礙。

但是，「這啥人せ某？」這句問話一直盤旋在我心中，這個老太太當然極可能就是我的母親。我學習的專業，有一天，能不能為自己的母親解開一點「美」的疑惑呢？

1976 年回到台灣，在大學教書，教建築系、美術系的學生，講解羅浮宮，講解維納斯都不會有「這啥人せ某？」這樣尷尬的問題。

但是，教學到了沒有「尷尬」，其實也就沒有「挑戰」，沒有「反省」。

我的心裡一直還迴盪著老太太那一句石破天驚的問話。我所鍾愛的「藝術」，我所鍾愛的「美」是要說給老太太這樣的眾人聽的。

在東華書局出版過寫給大家的「中國美術史」與「西洋美術史」，「寫給大家」的「大家」是從老太太的問話發想的。

離開大學專業領域之後，可以更放膽去寫自己的書，在廣播做美術介紹，各處演講與「美」相關的主題，在大眾面前，我雙手合十敬拜，總是覺得那對「美」充滿疑惑的老太太就在台下。

這些年常常重回巴黎，每一次去巴黎，也還是會去羅浮宮。密特朗執政時代羅浮宮經過改建，貝聿銘設計了玻璃金字塔的入口，羅浮宮有了新的中心點，動

線從中央放射到各個不同展區，分類更清楚，節省了很多在裡面「小跑步」的時間。但是能夠悠閒地在羅浮宮看畫的人還是少數，能夠看幾張畫，走出來在塞納河邊坐著，看看河水，回想畫的色彩光影的人，更是有莫大的福氣。

2008 年，有一些朋友跟我去巴黎，他們都是台灣經濟發展到成熟時期的企業家。常常去巴黎，有一種不慌不忙的從容。我們在羅浮宮一件作品前停留很久，談一談自己的感覺，到很古典的餐廳喝一杯咖啡。沒有用「小跑步」看羅浮宮，他們覺得很幸福，但是談起來，大家都曾經有過「小跑步」的記憶。

「美」是奢侈的，因為需要時間累積。需要從貪婪地狼吞虎嚥，慢慢地轉變為看一件作品，感受一件作品，心中只被這一件作品充滿，有共鳴，有滿足，有喜悅。

我因此想寫一本羅浮宮導覽的書，按照年代的分期，從最古老的埃及、美索不達米亞、波斯開始，看到希臘、羅馬，看到中世紀、文藝復興，看到巴洛克的富麗堂皇，洛可可的細膩精緻——羅浮宮事實上是一個縱觀人類文明漫長美術史最好的地方，每一個段落，都有作品，使人忍不住要停留、沉思、讚嘆。

我設想一個閱讀華文的遊客，可以帶著一本書，慢慢在羅浮宮裡倘佯欣賞，不慌不忙，但也不會遺漏最重要的作品。羅浮宮建築本身是偉大的藝術品，我總建議朋友看完畫，走出羅浮宮，應該在「方庭」（cours carree）坐一坐，「方庭」的建築是羅浮宮巴洛克形式的經典。坐在「方庭」可以遠遠看到貝聿銘設計的玻璃金字塔，框在圓拱門裡，像一張畫。羅浮宮在傍晚以後的打光極美，與白天不同，沒有太多遊客的黃昏，從新橋或藝術橋越過塞納河，走進方庭，聽到巴哈長笛演奏，幽微的暮色之光，玻璃金字塔倒映在水池中，一層一層透明的光，璀璨華麗，又如此安靜，可以一直走到杜勒麗公園，走到香榭麗舍，看最繁華如夢的巴黎。

許多朋友知道我在巴黎的黃昏有這一條穿越羅浮宮的「私密路線」。我把這條「私密路線」寫在這本書裡，給年輕朋友一個夢想，在成年後可以實現。

去走羅浮宮，去讚歎世界文明最美的一條「私密路線」。

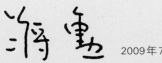

2009 年 7 月 7 日於八里

LOUVRE
musée du

CONTENTS 目錄 從羅浮宮看世界美術

＊本書部份照片為鄭意萱攝影（p11下圖、p13-15、p18-20、p50）

第十一章 108
法國畫派

LOUVRE
musée du

第一章 緒論

聖母院／建於1163年的巴黎聖母院,是典型哥德式建築,西面兩座鐘樓,東面有十五公尺長飛扶拱。(右頁上圖)
聖母院前方地面上 0 的坐標／巴黎聖母院是巴黎市的歷史零坐標。(右頁下圖)

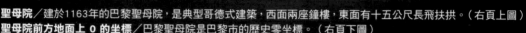

羅浮宮是巴黎最重要的美術館,位於巴黎塞納河的右岸,建築面積廣達六萬多平方公尺,經常性陳列的文物藝術品多達三萬五千件,對任何一位短時間停留的遊客,都是一件瀏覽上十分不容易的事。

◇ 先談一談羅浮宮的建築歷史

在十二世紀,當時的巴黎小到只是塞納河中間的一個小沙洲,也就是現在被稱為西堤(cité)的島。沙洲上有一座重要的大教堂聖母院(Notre-Dame),是巴黎最早的城市中心。

聖母院西面的廣場上有一個銅牌,標示著「0」,是巴黎公里計的「零」坐標,也是巴黎城市地理與歷史的「零」坐標。

從這個「零」坐標向西走,沿著塞納河的右岸,經過有四百年歷史的「新橋」(Pont-Neuf),在塞納河北邊,就可以看到羅浮宮臨河的一帶長廊。

新橋／跨越在西堤島上的新橋有四百年歷史

　　我覺得看羅浮宮臨河長廊最好的角度在藝術橋（Pont des Arts）上。藝術橋南端是法蘭西學術院；東端可以眺望橫跨在西堤島「新橋」，以及亨利二世的雕像；西端是羅浮宮橋，也可以遠眺艾菲爾鐵塔。藝術橋的北邊就是羅浮宮南邊的長廊。

　　位置在古老巴黎西北邊的羅浮宮，有防衛城市的重要性；因此，十二世紀，法國國王菲力浦二世修建了防衛性的城堡，四面有負責瞭望及防守的塔樓。

　　目前十二世紀最早的羅浮「城堡」在外觀上已看不見了，只有參觀羅浮宮的時候，會在某些地方看到被挖掘出來的城堡部分遺址，也成為羅浮宮歷史展示的一部分。

　　十四世紀的時候，查理五世執政，巴黎的面積擴大，原來具備城市防衛功能的羅浮「城堡」逐漸被包容在城市範圍之內，也失去了「防禦」作用，從「城堡」逐漸轉化成君王居住的「宮殿」。

　　查理五世任命建築師 Raymond du Temple 重新修建羅浮宮，有高聳的雕花窗，寬廣的門廳與樓梯，以及與宮殿配合的皇室園林，也就是目前羅浮宮西端一直到協和（Con corde）廣場的杜勒麗花園（Tuileries）。

　　影響羅浮宮角色很重要的關鍵人物是十六世紀的法國國王法蘭西斯一世（Fransois I）。

　　法蘭西斯一世時代，義大利文藝復興運動興起，使法國認知到文化的重要

新橋／橋上有可以供遊客休憩的臨河座椅

性，法蘭西斯一世亦深受義大利科學與藝術影響，還邀請當時文藝復興最具代表性的人物達文西到法國，達文西晚年攜帶自己最重要的作品「蒙娜麗莎」、「岩窟聖母」、「施洗約翰」、「聖家族」到法國，居住在法國南部的安布瓦絲（Ambroise）。達文西在法國逝世，他的幾件名作成為法蘭西斯一世的宮廷收藏，也就是羅浮宮目前鎮館之寶的幾件達文西名作。

十七世紀的路易十三時代，除了沿塞納河的南端長廊，又修建了北端的長廊，即是目前沿麗福里（Rivoli）街的北端一帶建築，南、北兩條長廊中央的廣場，也就是目前貝聿銘改建後羅浮宮玻璃金字塔的新入口。

1660 年，建築師 le Brun 設計了一個優雅的「方庭」（Cour Carrée），把北端與南端的兩條長廊連接起來，這個「方庭」原來朝向東端的入口，就成為羅浮宮的大門入口。

「方庭」是典型文藝復興建築形式，柱廊環繞，中央有噴水池，像東方建築的四合院。黃昏入夜以後，此地常有吹奏長笛或薩克斯風的街頭藝人，音效回音特別幽靜，是可以靜觀羅浮宮建築之美的最好角落。

1663 年，le Brun 這位建築師又在羅浮宮內部修建了「阿波羅廊」，成為現在羅浮宮最主要的展示空間，屋頂上的彩色壁畫、穹頂的裝飾都代表了巴洛克時期建築的典範。

十七世紀後期，路易王朝的許多藝術展示、藝術評審都在阿波羅廊進行，也

羅浮宮方庭／羅浮宮東端的「方庭」是最早的羅浮宮建築，四面建築環繞的「中庭」也是遊客可以休息的安靜角落。

奠定了羅浮宮與美術館最早的關係。

　　1674 年，路易十四曾經一度選擇巴黎西南郊外的凡爾賽（Versailles）為皇宮，放棄羅浮宮。也正因為如此，羅浮宮反而成為路易十四置放皇室藝術品文物收藏的中心；因此，似乎也順理成章安排了羅浮宮從皇家宮殿轉型為美術館的命運。

　　1789 年，法國大革命發生，結束王朝歷史，原來屬於皇室私人收藏大量藝術品的皇宮被國會裁決成立開放給大眾的美術館。

　　1793 年 8 月 10 日，羅浮宮正式以新的美術館角色開放給大眾參觀，也是世界最早的現代美術館之一。

　　拿破崙執政時代，有計畫地擴充羅浮宮收藏，在戰爭中擄獲大量埃及、希臘、中亞、西亞、印度，乃至於東亞與非洲的文物，羅浮宮也一度改名為「拿破崙博物館」，奠定了目前羅浮宮作為世界著名博物館的基礎。

　　十九世紀中期，拿破崙三世復辟帝制，1852 年取得政權後，繼續以羅浮宮擴建作為帝制的榮耀。羅浮宮在他執政期間又增加兩萬件作品，羅浮宮的內部建築也重新修建，成為更符合展示的美術館空間。

貝聿銘設計的金字塔／貝聿銘設計的玻璃金字塔成為羅浮宮新的入口

　　十九世紀末二十世紀初，羅浮宮確定其國家美術館的地位，使許多私人收藏陸續捐贈給羅浮宮，加入新的館藏，成為世界上數一數二的知名美術館，也為後來各國的美術館樹立典範。

　　兩次世界大戰，羅浮宮逃過戰火波及，1939 年 8 月，在巴黎淪陷之前，曾轉移大部分館藏；一直到同年的 12 月，除了太重的文物及少數非重要性收藏，羅浮宮成功移轉所有重要作品，一直到 1945 年二戰結束，這些作品才又陸續回到羅浮宮。

　　目前羅浮宮有四十萬件收藏，成為瞭解世界文化與藝術最重要的中心。據統計，每一天的遊客參觀人數平均在一萬五千人左右，其中有百分之六十五是來到巴黎觀光的外國遊客。

　　羅浮宮是一部傳奇，而這一部傳奇還在繼續創造新的文化創意資源。2006年，因為丹‧布朗的《達文西密碼》改編成電影，羅浮宮僅以提供場地做拍攝地點，就賺取兩千五百萬美元的權利金。

◇ 羅浮宮走向現代

從十二世紀的城堡，演變為十六世紀的皇宮，再轉型成為十九世紀的博物
館，角色一再改變，古舊的建築空間與設施都不一定能適用現代美術館展示的功
能。關於佈展、採光、觀眾動線、出入口機能，都必須一再調整，適應每天一萬
五千名觀賞者的巨大流量。

1970 年代，我在巴黎讀書，正好課餘打工，兼職羅浮宮導覽，親眼見證狄農
廊（Denon Wing）出入口的壅塞現象。

狄農長廊沿塞納河，是羅浮宮南端的長廊。從狄農入口，經過東端的「方
庭」，再繞向北端的瑞奇里爾廊（Richelieu Wing），是一條漫長而沉悶的閉塞空
間，使大量觀賞者在長距離的看畫過程中疲於奔命。

羅浮宮老舊了，老到無法滿足現代觀眾的看畫需求。

1983 年，法國總統密特朗（Mitterand）批准改建大羅浮的計畫，作為巴黎過渡
到二十一世紀的重要城市改建項目之一。

華裔建築師貝聿銘擔任此次改建計畫的負責人。

密特朗總統沒有局限在法國人文化自負的陶醉中，他以世界的視野看待
二十一世紀將面對全新時代的羅浮宮。

貝聿銘是華裔美籍建築師，他改建羅浮宮不是只從法國的角度出發，而是把
羅浮宮定位在二十一世紀世界中心的視野上。

貝聿銘在舊羅浮宮北廊、南廊以及東端的方庭之間，位於廣場的正中央選擇
新的出入口。使巨大流量的觀眾有了一個中心點，從這個中心點到北廊、南廊與
東端的方庭都是等距離；因此，觀眾可以從這個中心入口輕易選擇自己要去的位
置，不必做繞道的浪費。

入口的標幟是三座玻璃的角錐形金字塔，以金屬及玻璃帷幕結構成完全現代

羅浮宮入口處的倒三角金字塔／現代玻璃鋼骨結構的入口使古老的羅浮宮不再感覺沉重。（左頁圖）
羅浮宮地下一樓的購票處及入口／可以通向不同展區的中心位置。（上圖）

極簡主義（Minimalism）的風格，使舊的羅浮宮統合在一個全新的現代標幟下，煥然一新。

　　目前進入羅浮宮一定會先到玻璃金字塔前的入口，通常這入口會有大批排隊等候買票的群眾。到了旺季，排隊人數大增，排成長龍，再一一進入位於地下一樓的購票處及入口。

　　從地面上看玻璃金字塔，與進入地下之後，抬頭仰望玻璃金字塔，感覺很不一樣。緩緩移動的電扶梯，似乎恰好幫助觀眾從不同角度瀏覽金字塔的結構之美。

　　金字塔的白天與夜晚景觀也很不一樣。在夜晚時分，透過金字塔內部的燈光，可以看到完全透明的玻璃結構，如同幻影。晚餐後不妨繞到這裡，欣賞完全不同於白天的奇麗景觀。

羅浮宮廣場的路易騎馬像／羅浮宮金字塔西側有一座路易十四騎馬像，這座雕像是巴黎自東向西文化軸線的起點，注意，台座與雕像並不平行，正是為了對準軸線。

◇ 羅浮宮文化軸線的起點

在羅浮宮玻璃金字塔入口的西側有一座路易十四的騎馬雕像，如果走到這尊雕像前，不妨注意一下，青銅雕像的長方台座與下面石頭的長方形基座並不平行。

許多人發現這一怪異的配置，一時可能無法理解其中的涵義。

我們如果以雕像為起點，順著雕像的角度向西看，首先會看到拿破崙執政時修建的卡魯塞爾凱旋門，凱旋門上有四匹馬拉的馬車雕塑，一般人也稱這座凱旋門為「小凱旋門」。

我們從路易十四雕像開始，視線穿過小凱旋門的拱門，筆直穿過杜勒麗公園的中央，一直到協和廣場，廣場中央有一座著名的古代埃及方尖碑（Obélisque），視線穿過方尖碑，進入香舍麗榭大道（Champs-Elysée）的中線，到達大凱旋門的門拱中線，再從大凱旋門一直延伸到巴黎最西端的大拱門（Grard Arc），長達八公里的一條軸線，被稱為巴黎的「歷史軸線」，代表了巴黎的文化傳承，也代表了巴

黎從傳統延伸向現代的承先啟後。

歷史軸線是文化軸線，以文化貫穿，而不是政治。

站在羅浮宮中庭的入口，不要錯過了對這條軸線的瞭解，羅浮宮正是文化軸線的起點，也可以思考巴黎作為世界不朽文化城市的原因。

◇　沒有錯過的遺憾

許多人難得去巴黎，都覺得不能錯過著名的羅浮宮。

許多人去了羅浮宮，也都覺得不能錯過其中的任何一件作品。

事實上，多達四十萬件的收藏，一個人終其一生也很難全部欣賞到。

因此，走進羅浮宮，不管停留的時間長短，是一天、兩天，一星期或一個月，大致做好要看的重點，但千萬不要有「全部看完」的錯覺，「全部看完」是沒有任何意義的。

比較重要的是做好規劃，確定自己最有興趣的是哪部分；或者選不可錯過的幾件名作，看到一件，感受到了美，就告訴自己：值得了。

美，只對看到的充滿歡喜感謝，不會計較看不到的部分。在羅浮宮，給自己最大的提醒就是——不要計較錯過了什麼。

◇　從哪裡看起？

羅浮宮的四十萬件收藏品貫穿人類文明的歷史，如果有興趣，可以從時間的先後走一次羅浮宮，特別是對遠古文明的埃及與西亞兩河流域的文明做一次大致的巡禮。

LOUVRE
musée du

第二章 埃及

埃及古代文物在羅浮宮有五萬件收藏。

年代上，埃及的作品跨越公元前四千年到公元四世紀左右，事實上，古代埃及滅亡於亞歷山大大帝的公元前四世紀；因此，最後一個階段的古埃及藝術，事實上已進入希臘與羅馬文明時期。

羅浮宮埃及部分收藏的擴張與拿破崙有關，他在 1798 年征服埃及之後，推動大批學者研究埃及古文明，也直接從埃及搬回許多文物。

羅浮宮也在拿破崙的埃及學影響下，在十九世紀不斷進行對古埃及文物的發掘、收藏及研究。

著名的法國學者商博良（Champollion）解讀了羅塞塔石碑（Rosetta），使古埃及文字復活，有助於瞭解古碑上許多記載。十九世紀，羅浮宮也有專門人員派駐在埃及，專門收集埃及古文物。例如，當時的羅浮宮研究員馬里特（Auguste Mariette）就在埃及古都孟斐斯做了許多挖掘，提供給羅浮宮今日最重要的埃及展示品。

書記坐像
公元前 2350 年，53.7×44 cm

　　雪花石雕刻的「書記坐像」是羅浮宮埃及收藏最著名的傑作。

　　這件作品雕塑一名盤坐的男子，雙腿盤坐，膝上攤開一張長卷，正在用筆記錄重要的事件。

　　這件男子雕像短髮，雙目有神，眼睛的瞳仁鑲了不同顏色的石頭，閃閃發亮。他緊閉嘴唇，似乎非常專注於自己「書記」的工作，認真聆聽朝政，也認真記錄。

　　眼眶四周塗有黑色顏料，原來是埃及人為防止昆蟲病菌感染的醫藥用塗料，以後演變成貴族身份的特徵。

　　這件作品是公元前 2350 年的作品，距離現在已經超過四千三百年，出土於沙卡拉（Saquara）。年代如此久遠，卻保留著完整的色彩，可以看到古埃及人在石雕上彩色的經驗，下裙的白色，皮膚的褐紅，毛髮的黑色，搭配成栩栩如生的感覺。

　　埃及雕像重視寫實，書記的胸部與小腹的肌肉都未經美化，傳達出人體的真實感。

　　書記左手握長卷一端，右手執筆，原來手中的筆已腐朽，但手指書寫的動作仍然十分準確。

　　埃及文物在羅浮宮分為二十個陳列室，其中包括雕像、紙莎草手卷、木乃伊、各種工具、衣物、珠寶飾品、博奕賭具、樂器、武器。如要仔細瀏覽，需要許多時間，但可以集中在石雕藝術的作品，作為對埃及古代文明之美一個概括的瞭解。

書記坐像／
公元前 2350 年，53.7×44 cm

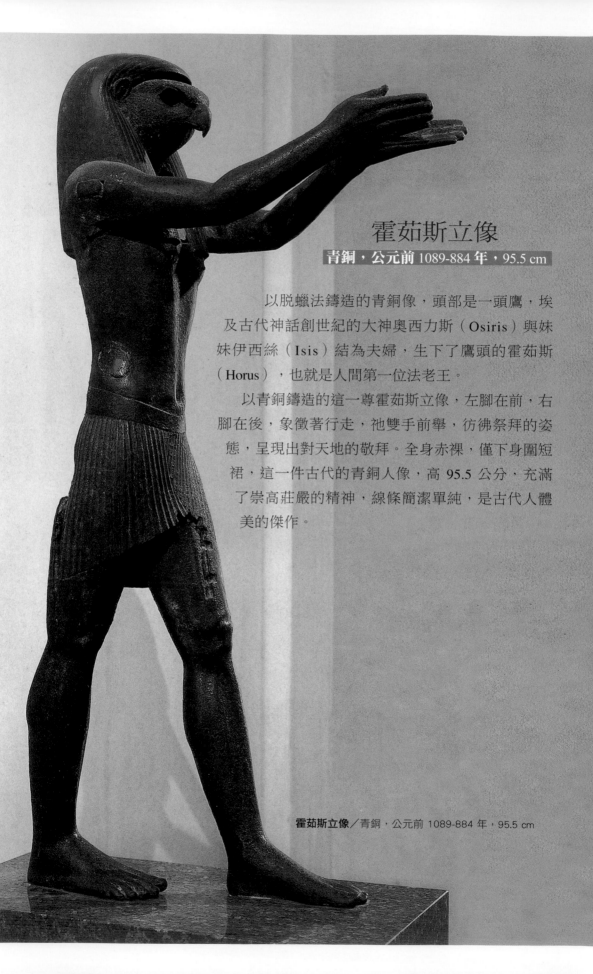

霍茹斯立像
青銅，公元前 1089-884 **年，** 95.5 cm

　　以脫蠟法鑄造的青銅像，頭部是一頭鷹，埃及古代神話創世紀的大神奧西力斯（Osiris）與妹妹伊西絲（Isis）結為夫婦，生下了鷹頭的霍茹斯（Horus），也就是人間第一位法老王。

　　以青銅鑄造的這一尊霍茹斯立像，左腳在前，右腳在後，象徵著行走，祂雙手前舉，彷彿祭拜的姿態，呈現出對天地的敬拜。全身赤裸，僅下身圍短裙，這一件古代的青銅人像，高 95.5 公分，充滿了崇高莊嚴的精神，線條簡潔單純，是古代人體美的傑作。

霍茹斯立像／青銅，公元前 1089-884 年，95.5 cm

Wahibre 石雕蹲像

公元前 550-525 年，0.66×0.45×1.02 m

Wahibre 是公元前六世紀上埃及的官員，這尊黑色石雕，以一公尺左右的高度，表現出人體蹲踞的姿態。埃及美學重視幾何規則，把人體也納入嚴整的規範。蹲踞的身體像一個正方形的立方檯桌，只略略暗示出下方的雙腳，和交叉盤放膝上的手臂，以及平台上一個凸出的頭部。

這是古代埃及文明在晚期人像雕刻的代表作，屬於第二十六王朝的作品，1799 年由拿破崙自埃及帶回，捐贈羅浮宮。

Wahibre 石雕蹲像／
公元前 550-525 年，0.66×0.45×1.02 m（右上圖：正面像，左圖：側面像，右下圖：左前俯瞰像）

蘭姆西斯二世
十九王朝，公元前 1279-1213 年，
1.17×0.8×2.56 m

　　蘭姆西斯二世從公元前 1279 年到 1213 年間統治埃及，長達 67 年，是古埃及文明全盛時期的巔峰。

　　頭上戴頭巾，下巴套有鬍管裝飾，蘭姆西斯二世的坐姿嚴肅而權威。他上身挺直，保持中軸線兩邊絕對對稱的埃及規則。雙手平放在膝上，兩腿也保持正直的姿態，高度達兩公尺半（2.56 m）的巨大坐像，充分表現出十九王朝古埃及法老王的絕對威權，也彰顯出古埃及美學絕對準確一絲不苟的嚴格紀律，傳達出不可動搖的石塊的量體感。

蘭姆西斯二世／
十九王朝，公元前 1279-1213 年，
1.17×0.8×2.56 m

獅身人面

玫瑰色花崗岩，公元前 2600 年左右，183×480 cm

　　以花崗岩雕出高達一公尺八三的獅身人面像。

　　古埃及人常把法老王的頭部與獅子的身體結合，表現出上古圖騰時代人與神獸結合的理想。希臘人把這種形象稱為「斯芬克斯」（Sphinx），幻化成向人間施以符咒及謎語的魔幻象徵。

　　動物寫實的巨大軀體加上法老王威權的頭部，反應出古埃及神秘文化的魅力。

獅身人面／玫瑰色花崗岩，公元前 2600 年左右，183×480 cm

書記夫婦像／石雕像，公元前 2350 年左右，21.3×17.6×52.8 cm
（左圖：全身像，右上圖：正面半身像，中下圖：背面像，右下圖：側面像）

書記夫婦像
石雕像，公元前 2350 年左右，21.3×17.6×52.8 cm

　　以石灰石雕成的一對夫婦像，上了彩色，可以看出工匠在男子皮膚上用色較深褐，女子皮膚則是淡粉色。

　　男子舉步向前，女子依靠在丈夫身邊，傳達出夫妻間細微的親密情感，也界分了男女不同性別的角色特質，這是第四至第五王朝的古埃及傑作，說明距今四千三百多年前古埃及文明已充分完備了家庭倫理的結構。

木雕夫婦像

公元前 2350-2200 **年**，69.5×33×15 cm

　　這是古代埃及最著名的木雕像。一般說來，埃及文明多以石雕製作人像，石像的意義在墓葬中代表肉體的永恆不朽，如同製作木乃伊的作用。

　　因此，學者認為這一件木雕夫婦像可能是一般庶民百姓，而非皇室貴族，所以使用較易腐朽的木材。

　　雖然經過四千三百年的時間腐蝕，這一件高達 70 公分的木雕夫婦像還是使人看到了古埃及雕刻藝術驚人的水平。

　　男子在前，左手彎曲在胸前，右手下垂，原來似乎手中拿一支木棍，左腳在前，邁步向前行走。女了體形嬌小，穿著緊身長衫，薄薄的衣紋下露出美麗軀體。她緊緊依靠著男子，左手從後方環抱著男子的腰。

　　這件作品傳達出古代埃及文明家庭倫理中夫婦的關係，也傳達出極為動人的男女相互依靠信任的情感關係，在時間摧毀腐蝕中，彷彿一種堅定的信仰之美可以通過歷史的劫難走到現代人的面前。

木雕夫婦像／公元前 2350-2200 年，69.5×33×15 cm

哈托女神與塞特一世
浮雕，公元前 1290-1175 **年**，226.5×105 cm

　　新王朝時代，埃及法老王塞特一世在公元前 1175 年去世，他從人間進入天界，因此由頭上有牛的雙角及太陽圖像的哈托（Hator）女神率領，進入神的國度。

　　在石灰岩的平面上，以浮雕方式雕刻的人體，埃及人體浮雕在塞特一世國王的上身雕成正面，可以看到雙肩，下身卻是側面，形成了獨特的人體透視法。

　　女神與國王兩手一上一下相互呼應，象徵神與人之間的溝通與迎接。浮雕以雕刻線紋再加上彩繪，使人體更富細節，人物的紅褐肉體在覆蓋的白色透明圍裙下，特別顯出介於雕刻與繪畫之間的美感。

哈托女神與塞特一世／
浮雕，公元前 1290-1175年，226.5×105 cm

蘭姆西斯三世石棺／花崗岩，公元前1184-1153年，180×305×150cm

蘭姆西斯三世石棺

花崗岩，公元前 1184-1153 年，180×305×150 cm

　　羅浮宮從埃及尼羅河畔的帝王谷發掘了不少古埃及法老王的墓葬，其中棺槨的雕刻精美，使現代人嘆為觀止。

　　這件高達一公尺八〇的石棺槨，以整塊粉紅色花崗岩雕成，四周以陰刻細線雕繪出法老王死亡進入冥界的種種儀式。棺槨一端是有翅膀的復活女神，搨起雙翼，祝福死者的復活。

　　法老王的木乃伊就盛裝在這樣一層套一層的棺槨中。

托勒密法老王

公元前 305-30 年

　　埃及古文明在公元前 332 年，被來自馬其頓的希臘人亞歷山大滅亡，之後，由希臘將領托勒密（Ptolemy）統治埃及，在公元前 305 年建立托勒密王朝，一直到公元前 30 年才被羅馬消滅。

托勒密法老王／公元前 305-30 年

　　可以看得出來，希臘將領為了統治埃及，也穿戴起傳統埃及法老王的服飾，只是仔細觀察，還是在臉部淡淡的微笑中看到一些希臘元素，已經不再是古老埃及神秘莊嚴的美學了。

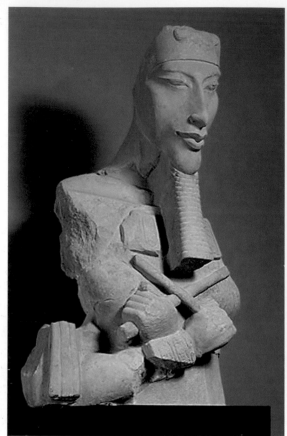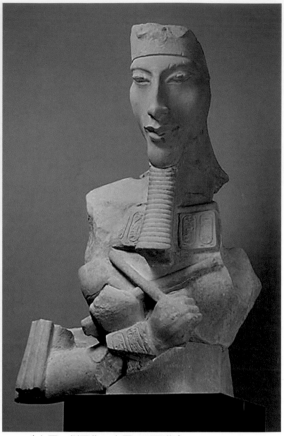

阿克那屯像／石灰岩，公元前1350年前後，22.2×12.3 cm（左圖：側面像；右圖：正面像）
阿克那屯夫婦像（右頁圖）

阿克那屯像

石灰岩，公元前 1350 年前後， 22.2×12.3 cm

　　公元前 1353-1337 年之間，埃及的新王朝時代，法老王阿門諾斐斯三世，因為改變傳統信仰，把原有的「阿蒙」（Amon）神信仰改為「阿屯」（Aton）神信仰，因此也把自己王名的結尾改為阿克那屯。他創造了一種詩意而夢想的「亞馬那」（Amarna）風格，在這件他自己的頭像中就有拉長鼻梁的變形，使臉部出現夢幻表情。

　　阿克那屯和他的妻子娜弗娣娣（Nefertiti）都創造了古埃及文明最優雅抒情的美學風格，除了這一件最具代表性的頭像以外，他們夫婦兩人的石雕像，以及一件女性薄紗肉體的軀體像都是羅浮宮珍貴的收藏。

第三章 西亞兩河流域文明

位於西部亞洲兩河流域的古文明遺址，在十八世紀以後有許多法國考古工作家在此進行探測，挖掘出的文物十分可觀，許多文物也成為羅浮宮的收藏。其中最為著名的就是巴比倫王朝公元前一千七百年左右的「漢摩拉比法典」石碑。

納蘭辛勝利紀念碑

公元前 2230 **年**，200×105 cm

納蘭辛是古代阿卡迪王朝的國王，他在位的時間是在公元前 2254 年至 2218 年。這塊石碑在今天伊朗境內出土，表現出納蘭辛帶領軍隊征服鹿路比（Lullubi）山區民族大獲全勝的場景。

石碑是粉紅色石灰岩，高兩公尺，以浮雕的方式刻劃許多軍士向前邁進，納蘭辛國王在最上端，彷彿踏著陡峻的梯階向上。人物雖然有圖案化傾向，卻十分生動活潑，表達出戰爭勝利紀念碑的崇高與力量。

納蘭辛勝利紀念碑／
公元前 2230 年，
200×105 cm

漢摩拉比法典石碑／
公元前 18 世紀，225×55 cm
（右圖，右頁圖為局部）

漢摩拉比法典石碑
公元前 18 世紀，225×55 cm

　　漢摩拉比王（Hammurabi）統治巴比倫王朝
的時間是在公元前 1792 年至 1750 年，距今約
三千七百年之久。古代巴比倫信奉太陽神沙瑪希
（Shamash），祂同時也是正義之神，明辨善惡，
等於近代法律的判斷者。因此，在這塊高達兩公尺
二十五公分的石碑上，碑額上端是坐在椅子上的太
陽神沙瑪希，祂頭上有盤成牛角狀的高冠髮飾，下
身穿一截一截的長裙。太陽神的右手執權杖，正在
把權杖交付給站立的漢摩拉比國王。

　　漢摩拉比王頭戴圓帽，雙手在胸前彎曲，做
出敬拜的姿態，作為人間的君王，他要頒佈治理
人民的法典，但是必須經過太陽神的授權。

　　石碑的下方佔整塊石碑四分之三的面積才是
法典的內容，以密密麻麻的楔形文字記錄著當時
社會訴訟依據的法條規則。

　　漢摩拉比法典不僅是巴比倫王朝的珍貴文
物，也是人類古代社會最早的法律記錄。法典中
對刑法與民法的界定，涉及到財產分配、子女繼
承權，都已說明巴比倫王朝完善的社會組織結構
與立法精神。

亞述帝國人面牛身城門石雕／公元前721-705年，高396cm（右頁圖，上圖為局部）

亞述帝國人面牛身城門石雕
公元前 721-705 年，**高** 396 cm

　　公元前八世紀前後，兩河流域文明繼巴比倫之後興起者為強大的亞述帝國。公元前 721 年至 705 年，國王塞崗二世（Sargon II）建立首都「都塞魯金」（Dur Sharukin），他在首都四周建築城堡，寬厚的城牆有七個城門。城門有高約四公尺的人面牛身的石雕做守護神。人面是國王的臉孔，有高冠，長鬍鬚，牛身前端立體雕刻，凸出在城門外，身體後部則是浮雕，鑲嵌在城門兩側。

　　公牛是兩河流域神性的象徵，因此，除了牛身寫實的細部以外，還在兩腋加上了鳥的翅膀，使牛的神性昇高為圖騰的象徵意義。

　　羅浮宮收藏了不少塞崗二世的石雕，有高達五公尺半左右的「搏獅英雄」石雕，氣勢宏大，說明亞述文明全盛時代的雄強之美。

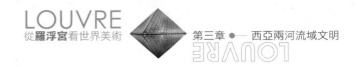

波斯彩磚城牆與弓箭手／
公元前 500 年左右，4.75 m×3.75 m
（左頁圖）

波斯彩磚城牆與弓箭手
公元前 500 **年左右**，4.75 m×3.75 m

　　兩河流域的文明至公元前六世紀，出現波斯帝國，也就是大家熟悉與當時希臘對抗的大流士一世。

　　大流士一世的統治時期在公元前 522 年到 486 年，是波斯帝國全盛時代的君王。

　　這件尺寸約 4.75 m×3.75 m 的城牆，以彩磚砌成，彩磚所使用的釉料豐富而艷麗，以綠、黃、褐、藍幾種顏色為主調，正是後來影響中國唐代出現唐三彩的釉料。

　　彩磚上以拼圖方式塑成兩對弓箭手，手拿武器，似乎在守衛帝國的城市。

　　從彩磚顏色的華麗也可以看到伊朗這一地區以後發展出來的織毯、琺瑯彩等工藝的風格。

　　羅浮宮另有收藏一件波斯彩磚城牆，上面雕塑的是獅子造型，屬於同一時期風格。

　　大流士一世在蘇薩的宮廷中還有許多彩磚拼成的飛獅造型作品，也都收藏在羅浮宮。寫實的獅子身體，筋骨細節栩栩如生，加上了雙翼，更顯神秘而威嚴，是古波斯文化的藝術傑作。

希臘文明在公元前六世紀前後崛起，建立影響歐洲及世界最重要的文化之一，它的建築、哲學、戲劇、民主制度、邏輯思考、語言、律法、美術⋯⋯，全面被之後的羅馬帝國接受承續，並建立西方文明的近代基礎。

十八世紀以後，法國人對希臘古文化的研究成為一時顯學，希臘的藝術作品也大量流入法國，成為羅浮宮的重要收藏。

巴特農神殿浮雕
公元前 440 年左右，207×96 cm

公元前 447 年至 432 年之間，希臘雅典城邦修築衛城（Acropolis），其中最主要的就是舉世聞名的「巴特農神殿」（Parthenon），標幟著希臘古典美學的最高典範。

在十八世紀至十九世紀，歐洲列強對巴特農神殿的雕刻大肆掠奪，其中最有名的是收藏在大英博物館的「艾爾金伯爵館」（Elgin Marbles），其中有被艾爾金

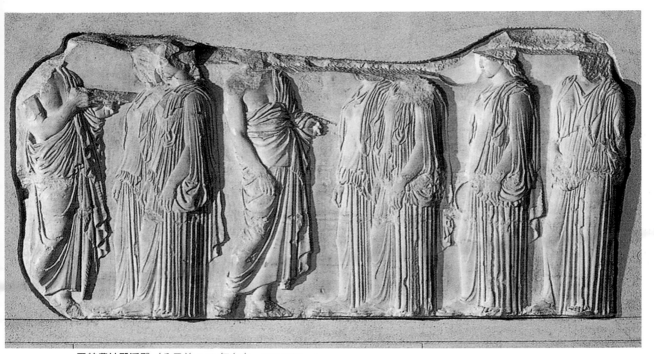

巴特農神殿浮雕／公元前 440 年左右，207×96 cm

整座搬走的神殿建築。

羅浮宮則收藏有非常精美的神殿浮雕飾帶。

巴特農神殿祭祀雅典的保護神雅典娜（Athena），因為二千五百年前，雅典人有許多祭祀活動，就像今日台灣的媽祖進香，以鮮花供品奉獻給雅典娜。

在巴特農神殿的兩廊就由雕刻家把這些進行祭祀儀式的隊伍一一浮雕在大埋石版上，彷彿永遠保留了儀式的進行。

羅浮宮保存的幾件巴特農浮雕，高度有四公尺半左右，雖然不完整，人像頭部部分破損，但是人體衣紋雕飾仍可見其靜態優雅，動態的閒適自在，人體與人體之間的排列關係，都表現出希臘黃金時代藝術的驚人力量。

在原來神殿上的浮雕飾帶長達一百六十公尺，而羅浮宮所收藏其中兩公尺多的殘片已具體而微地呈現了古代雅典城邦的高度文明。

民主制度下產生的市民階層，有高貴的信仰，走在敬拜神的進香隊伍中，他們身體的優雅不只是生理的美，也透露了雅典精神文明達到的心靈高度。

米羅的維納斯／公元前二世紀，高 202 cm（左圖，右頁圖為局部）

米羅的維納斯
公元前二世紀，高 202 cm

　　羅浮宮這一件高達兩公尺的維納斯雕像不僅是希臘藝術的傑作，也是羅浮宮三件鎮館之寶中最重要的一件。

　　維納斯是希臘的美之女神，她的希臘名字是阿孚羅代特（Aphrodite），維納斯是羅馬帝國時代為她取的拉丁文名字，沿用到今天。

　　1820 年，這件雙臂殘破的雕像在希臘的米羅島被發現，落入法國男爵里維埃（Riviere）手中，男爵把這件傑作送給當時法國國王路易十八，後來路易十八捐贈給羅浮宮。

　　這件作品出土時已成好幾塊碎片，經過拼接復原，使十九世紀的美術界大為震驚，認為是公元前二世紀大希臘化時代人體美學的精品，也奉為美術素描的基礎，影響了全世界學習美術者的基本觀察。

　　許多人在探討女神殘破的雙手原來應該是什麼樣子，至今卻沒有找到答案。

　　或許，因為雙手失去，更可以單純觀察人體從臀部到小腹、兩腰、胸部，以及上肩微妙的線條變化。

　　尤其是從後背觀察，從尾尻部分向上升起的脊椎，像一支蓮花的莖，一直到頸部，是一條緩慢升起優雅而充滿韻律感的線條，正是希臘人體藝術中最有名的「蛇形線條」。

　　女神的重心落在右腳，因此她的左腳微微彎曲，身體側傾，也正是學者所說：埃及人只懂立正，到了希臘才學會了稍息。

　　一種在休息狀態的身體展現出希臘人對美的嚮往，不是紀律的緊張，而是找到自己內在平衡的一種自在。

　　這件作品在最近兩百年中不斷被複製，成為許多國家的庭園裝飾，成為美術系學生的學畫對象，成為世界上最廣泛被閱讀、欣賞、翻製的圖像，影響之大，可能沒有一件藝術品可以比擬。

薩摩特拉斯勝利女神

石雕，公元前 190 **年，高** 328 cm

　　羅浮宮一般人所說的三件「鎮館之寶」，除了上述米羅的維納斯之外，另外第二件也是希臘化時期的雕刻——勝利女神像。1863 年，這件傑出的雕刻在愛琴海西北邊的小島薩摩特拉斯（Samothrace）出土，因此前面冠上小島的名稱。

　　這件巨大的女神雕刻，連同下面船形台座高達三公尺二八。長久以來，這件作品一直陳列在羅浮宮南廊入口的大樓梯上，因此，觀賞者可以從階梯不同高度欣賞這件作品雙翅展開，飛揚而意氣風發的動態之美。

　　希臘古代信仰勝利女神，也就是希臘文中的「Nike」。通常，在海戰中勝利的一方，為了凱旋紀念，會雕一座勝利女神像。希臘人也相信戰爭的勝利歸屬於 Nike 女神保佑的一方，並且展開雙翼，飛臨勝利者戰船上方，輕輕落在船頭。

　　這一件傑作正是在表現勝利女神飛揚並要落在船頭的那一刹那。

　　勝利女神出土時，頭部與雙手都殘缺了，但卻似乎更彰顯雙翼高高展開的線條的有力與弧度。

　　從側面看，翅膀雖然雕有羽毛的細節，但是主要視覺的感受來自一條跨越在空中的巨大弧線，單純、流動，充滿在空氣中飛動的張力。

　　在觀看的時候，幾乎感覺不到那翅翼是沉重的石塊，藝術家借由飛揚的弧線使石塊的重力消失，變成向上升起的羽毛，在風中搧動，彷彿使觀看者一同飛揚起來。

　　這翅膀的弧線變成著名的審美符號，甚至變成某運動名牌產品的商標來源，古代偉大的文化創意在現代還有創造產業的魅力。

　　勝利女神右腳向前伸直，左腿向後，一種從天而降的姿態，海浪與巨風迎面而來，使她的衣裙飛起。衣裙的褶紋緊緊貼在女神豐碩而飽滿的肉體上，感覺到被浪花濺濕的布料貼在身上的重量感，感覺到布料覆蓋下厚實有力的大腿肌肉，感覺到從大腿到膝蓋微微的骨骼結構起伏，感覺到小腿渾圓有力卻又十分輕盈觸碰船頭的動作。

　　欣賞勝利女神雕像是一件令人陶醉的審美過程，許多觀賞者坐在大梯階兩側，抬頭仰望女神英姿，彷彿置身於古希臘的現場，風起雲湧，有神破天而來。

薩摩特拉斯勝利女神／
石雕，公元前 190 年，高 328 cm

戰士雕像／石雕，公元前一百年，高 199 cm（左右頁圖）

戰士雕像
石雕，公元前一百年，高 199 cm

　　希臘石雕在公元前五世紀時期的優雅靜穆，到了公元前二世紀左右大希臘化時代，隨著希臘各城邦的兼併戰爭，到馬其頓帝國亞歷山大的統一歐亞非三洲，人體雕像出現一種動態力度的表現。

　　這件高近兩公尺的戰士石雕，是動態感表現的代表作品。

　　戰士右手握刀，左手高舉，手腕上有皮革套環，原來應該套著一面盾牌，戰士還用盾牌抵擋砍殺，右手的刀劍也正伺機而動，全身在緊張中出現動人的肌肉張力，彷彿血脈賁張，你死我活爭戰的一刻被重現在我們面前。

　　戰士右腿微彎，左腿筆直伸向後方，因為承受重力，從臀部到大腿、小腿的肌肉都展現出力度的細節，達到解剖學完美的瞭解。

　　這件作品在短樹樁上刻有作者的名字——以弗所的阿格西亞斯（Agasias of Ephesus）。以弗所在今天土耳其濱地中海境內，屬於大希臘化時代的西亞領土。

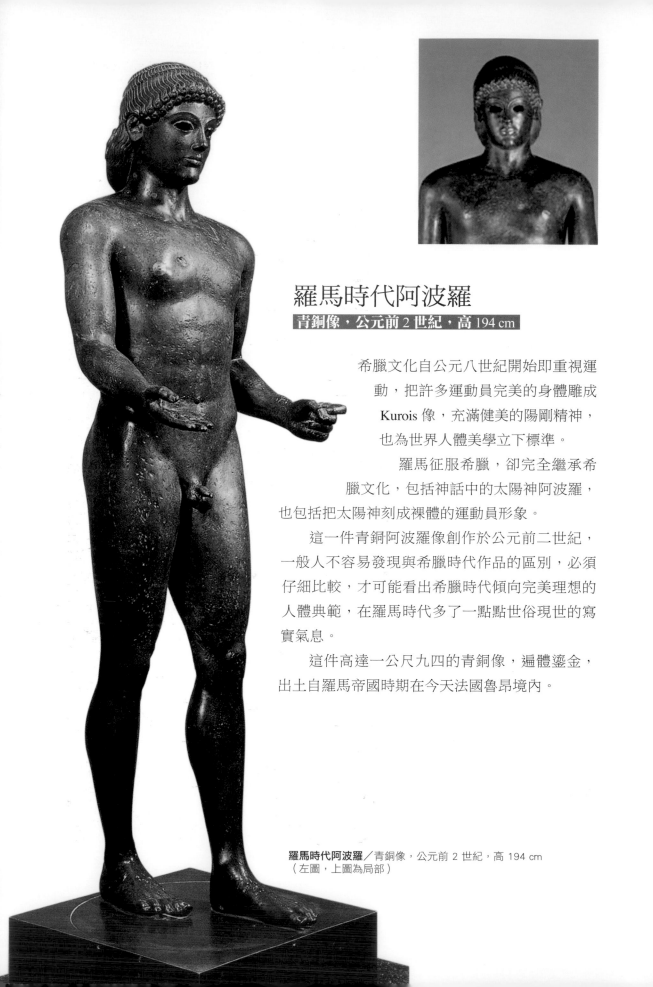

羅馬時代阿波羅
青銅像，公元前 2 世紀，高 194 cm

希臘文化自公元八世紀開始即重視運
動，把許多運動員完美的身體雕成
Kurois 像，充滿健美的陽剛精神，
也為世界人體美學立下標準。

羅馬征服希臘，卻完全繼承希
臘文化，包括神話中的太陽神阿波羅，
也包括把太陽神刻成裸體的運動員形象。

這一件青銅阿波羅像創作於公元前二世紀，
一般人不容易發現與希臘時代作品的區別，必須
仔細比較，才可能看出希臘時代傾向完美理想的
人體典範，在羅馬時代多了一點點世俗現世的寫
實氣息。

這件高達一公尺九四的青銅像，遍體鎏金，
出土自羅馬帝國時期在今天法國魯昂境內。

羅馬時代阿波羅／青銅像，公元前 2 世紀，高 194 cm
（左圖，上圖為局部）

羅馬奧古斯都
皇帝石雕
`2.07 m`

　　奧古斯都（Augustus）在公元前 27 年至公元後 14 年間統治羅馬，他為自己立了很多像，身披長袍，手持權杖或詔令，成為非常政治權威的偶像。

　　因此，希臘具有象徵意含充滿理想化意義的人像雕刻，到了羅馬時代，被不知不覺加入為現實政治威權服務的色彩，帝王威嚴崇高，也具備他人不可取代的相貌特徵，把政權與神格結合，為實際社會功能政治目的服務，希臘原來理想化的人體美學也至此結束。

羅馬奧古斯都皇帝石雕／ 2.07 m

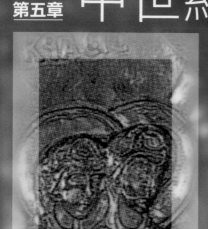

　　羅馬帝國在五世紀前後信奉基督教，以基督信仰為國教，視原有的希臘羅馬諸神為「異端」。許多珍貴的古希臘雕像如納維斯、勝利女神，都因為列為「異端」被打碎，埋入土中，或丟進海底。

　　從公元五世紀到十五世紀，長達一千年間，藝術只有一個主題就是基督教聖經，這一時期，歐洲最重要的藝術活動其實就是修建大教堂，巴黎建於 1163 年的聖母院（Notre Dame）就是一例。聖母院不只是建築，其中有許多聖人雕像、壁畫，以聖經為故事的彩色玻璃鑲嵌。各種宗教儀式用的聖杯、聖體匣，以金銀製作，鑲嵌珠寶，成為中世紀藝術的代表。

　　羅浮宮中世紀歐洲藝術有許多來自於各地的教堂，以「聖母受孕」、「耶穌誕生」、「出埃及記」……等聖經故事製作的石雕、繪畫，形成歐洲中世紀特有的「聖像」（ICON）傳統。

　　這一類藝術，不強調個體寫實特徵，用象徵而且概念的形式引導信徒全心崇敬神，雖然不容易受藝術上的肯定，但也自有歷史上一定風格的存在價值。

聖母受孕・耶穌受洗神龕

公元十二世紀，42.6×31 cm

　　從舊教堂遺址發現的這一類神龕石雕，有不少成為羅浮宮中世紀的收藏。

　　高度近一公尺左右，看得出來原來是鑲在建築物上的神龕，聖母或耶穌，也都被浮雕的建築龕拱包圍。聖母接受大天使的告知，以聖靈受孕，這個西方美術上一再重複的圖像，不需要刻意描述人體細節，信徒很容易經由故事瞭解內容。

　　「耶穌受洗」中站立的耶穌也只需一個象徵的人形，這是哥德（Gothic）形式「聖像」傳統的特色，強調一切藝術技巧必須服務於聖經主題，不可以誇張個人的藝術表現，當時的工匠都必須在虔誠信仰下保持一種謙卑，傳達出榮耀神的主題，這是中世紀藝術的最大特質。

　　中世紀的一千年，神的崇高壓抑了人性的自由發展，因此，十五世紀義大利文藝復興正好形成一種反彈，達文西等大藝術家對人性的覺醒一一展現全新的創造力。

聖母受孕・耶穌受洗神龕／
公元十二世紀，42.6×31 cm

第六章 義大利文藝復興繪畫

羅浮宮收藏的義大利文藝復興作品很完整，一般人最知道的當然是達文西的「蒙娜麗莎」，但是，達文西已經是文藝復興最高峰時期的畫家。如果能順著時間，瞭解一下從文藝復興繪畫之父喬托（Giotto）發展下來的軌跡，對理解西洋美術從中世紀到近代的演變，或許更是在羅浮宮看畫最有收穫的一種方式。

喬托　聖痕顯現

喬托（Giotto di Bondone, 1267-1337 年）被稱為西洋美術的「繪畫之父」，他活動在十三世紀至十四世紀初，已經是中世紀結束的時刻。

喬托擺脫了中世紀「聖像」畫的概念與千篇一律的傳統，開始以透視法及人體解剖學塑造人物的個性。

他的繪畫有許多主題都圍繞著阿西西（Assisi）的聖芳濟故事發展。

阿西西的聖芳濟（San Francesco, 1182-1226 年）是中世紀後期重要的思潮影響者，他把中世紀煩瑣的基督教義轉變成美麗抒情大眾容易懂的詩歌，他帶領信眾走向山林自然，過簡單純樸的生活，欣賞野地百合花的生長，欣賞春天流水的解凍，和鳥雀說話，傳說飛鳥從各地飛來聽他佈道。

聖芳濟以清貧律己的生活帶領大眾，並身體力行，體現基督受苦救贖眾人的行為，因此傳說耶穌把身上釘十字架時雙手、雙腳及肋骨上的五處傷痕傳給了聖芳濟，勉勵他為世人受苦殉道。

這一件作品描述的內容就叫「聖痕顯現」。聖芳濟穿褐色長袍，單腳跪在地上，他雙手向上敬拜基督，而基督也以聖靈姿態出現，從身上投射出五處傷痕，以線條拉到聖芳濟的雙手雙腳和肋骨下方。

這一類的祭壇畫原來陳列在教堂，用來說明聖芳濟一生的故事，因此「聖痕顯現」下面還有三個插畫，分別表現聖芳濟晉見教皇，教皇夢到聖芳濟支撐傾倒的教堂，以及聖芳濟向鳥雀佈道的故事。

畫中聖芳濟的身體用光影表達出解剖學的立體感，建築物也有了透視的遠近空間，這正是喬托被稱為「繪畫之父」的原因。

這件作品的創作年代大約在1295至1300年之間，是文藝復興前期的代表作品。

喬托　聖痕顯現

安傑利訶　聖母加冕圖

蛋彩畫，1430-32 年

　　十五世紀初開始，義大利中部托斯堪省的城市逐漸因為商業而繁榮起來，像早先的西耶那（Siena），以及後來的翡冷翠（Firenze）。

　　商業繁榮，社會出現了中產階級，生活富有，尋求心靈慰藉，開始修建教堂，也以繪畫或雕刻美化教堂。

　　安傑利訶（Angelico Fra Guido di Pietro, 1387-1455 年）是翡冷翠多明尼加修會的修士，他為教堂繪製祭壇畫，成為文藝復興前期重要的畫家。

　　這件接近兩公尺正方的祭壇畫，是以蛋彩畫在木板上的。蛋彩（Tempera）不同於較晚的油畫（Oil），是以雞蛋作調劑，結合礦石色粉來畫畫，顏色特別豐富鮮亮。

　　安傑利訶的人物造型已經有文藝復興的透視與解剖技巧，但是他保留了中世紀聖像畫的端莊優雅，在逐漸世俗化的潮流中仍然使作品裡洋溢著聖歌一般的寧靜祥和。

　　聖母跪在祭壇上，由天父為她加冕，前景是環繞的聖徒，安傑利訶繁複的空間層次卻達到色彩與結構寧靜的祥和，彷彿環繞在天使的歌聲之中。

安傑利訶 聖母加冕圖／蛋彩畫，1430-32 年（上圖，左頁圖為局部）

波提采立　維納斯與三女神／濕壁畫，1483-85 年，212×284 cm（上圖，右頁圖為局部）

波提采立　維納斯與三女神

濕壁畫，1483-85 **年**，212×284 cm

　　波提采立（Sandro Botticelli, 1445-1510 年）是十五世紀中期以後最重要的文藝復興畫家，也是開啟翡冷翠畫派的重要人物。

　　他最著名的「維納斯誕生」與「春」兩件傑作都在翡冷翠的烏菲齊美術館（Uffici），但是，羅浮宮卻難得地藏有他兩件濕壁畫（Fresco）的作品。

　　十五世紀義大利繪畫以「蛋彩畫」為主；但也嘗試在牆壁上塗上灰泥，趁灰泥未乾之前，快速畫下圖像，稱為濕壁畫。

　　這件原來畫在別墅牆壁上的「維納斯與三女神」有兩公尺高，近三公尺寬。從主題上來看，「維納斯」是希臘美之女神，是基督教視為「異端」的角色，但開明的商業中產階級給予畫家更大的創作自由空間。

　　波提采立是翡冷翠重要商人家族梅迪契（Medici）供養的畫家，因此他的畫作常常不顧教會禁令，大膽以希臘「異教」諸神為題材。

　　畫中的維納斯和三位女神都穿著義大利文藝復興時代的服裝、髮飾，裝扮也都是當時時髦仕女的形象。作品內容一方面假借希臘神話，另一方面波提采立其實是在創造自己當代的全新美學價值。

　　波提采立擅長以細線勾勒女性輪廓與衣紋褶皺，特別有東方飄逸秀氣的優雅之美，很像中國的「白描」，使女神們舉步輕盈，飄飄欲仙。

烏切羅　聖羅馬諾戰役圖／蛋彩畫，約 1436-40 年，180×316 cm（上圖，右頁圖為局部）

烏切羅　聖羅馬諾戰役圖
蛋彩畫，約 1436-40 **年，**180×316 cm

　　義大利中部的兩個城邦曾經發生慘烈戰爭，一個是西耶那，一個是翡冷翠。

　　1432 年，這兩個城邦在聖羅馬諾（San Romano）一地大戰，最後翡冷翠取得勝利，奠定此後的繁榮。

　　翡冷翠興盛之後，任命畫家畫了三件「聖羅馬諾戰役圖」作為紀念。目前，一件在翡冷翠的烏菲齊美術館，一件在倫敦的國家畫廊（National Gallery），另一件就收藏在羅浮宮。

　　羅浮宮的「聖羅馬諾戰役圖」寬度超過三公尺，畫家以蛋彩在木板上描繪出翡冷翠將領騎在黑馬上，旁邊軍士列隊環繞，在如此雜亂的人數之中，卻以非常嚴格紀律的方式分出馬匹的動作與層次。特別精彩的是每一位軍士手中的長桿武器，在暗黑的背景中，把巨大的畫面作幾何分割，使原來雜亂的戰爭場景變得有了安靜的秩序。

　　畫面中有許多金色與銀色的亮光，突顯出馬皮革上的配件，沿用中世紀金銀鑲嵌與貼金箔的技術傳統，使這件文藝復興前期的代表畫作更增添了華麗之感。

　　繪畫擺脫中世紀唯一宗教題材的限制，有了表現歷史，表現當代現實的可能。

達文西　蒙娜麗莎／
油畫，1503-06 年，
77×53 cm（右頁圖）

達文西　蒙娜麗莎
油畫，1503-06 **年，**77×53 cm

　　出生在 1452 年的達文西（Leonardo da Vinci, 1452-1519 年），可以說是義大利文藝復興最高峯期的人物，他在前期畫家累積的經驗中，把透視法與解剖學發展到最成熟的高度，加上他個人跨越科學、哲學、工程、物理，各個不同領域的才華，使他的繪畫呈現一種特殊的美學品質。

　　達文西傳世的繪畫作品不多，油畫作品可靠的不超過十五件。而羅浮宮得天獨厚，擁有包括蒙娜麗莎在內五件作品，主要是因為達文西晚年，受到法國國王法蘭西斯一世的邀請，帶著他的作品到了法國，雖然他為法國國王設計的首都規劃並未完成，即在安布瓦絲逝世，卻因此使法國幸運地得到這位文藝復興巨匠最傑出的作品。

　　蒙娜麗莎是羅浮宮第三件「鎮館之寶」，許多遊客千里迢迢只為見到這張畫一面，因此，在羅浮宮中常常看到有旅行團小跑步尋找「蒙娜麗莎」，成為有趣的景象。

　　蒙娜麗莎經過太多傳奇包裝，在羅浮宮中永遠有一大堆的遊客圍繞，加上防護的電眼警報系統、防彈玻璃，其實很難靜下來感覺到西洋美術第一名作中真正的美學層次。

　　面對「蒙娜麗莎」像是經驗使自己靜下來的一種考試，深深吸一口氣，或許有機會可以在眾人喧嘩中靜下來，感覺到畫面一二分的美。

　　蒙娜麗莎是義大利翡冷翠商人喬孔多（Francesco del Giocondo）的妻子，1503 至 1506 年之間，達文西最成熟的年齡畫作這張肖像。

　　文藝復興之前，中世紀時代，繪畫只是為了榮耀神，文藝復興則確立了人的價值，開始出現「肖像畫」。

　　達文西曾經努力研究過人體解剖，對於人體骨骼肌肉有精密的觀察，他解剖三十具屍體留下的草圖筆記至今仍是解剖學的珍貴史料。

　　但是，達文西也相信科學並不是一切。例如，「微笑」是解剖學上面頰嘴角四周肌肉的牽動，這是科學研究；然而，「微笑」在另一意義上是心中充滿喜悅。

　　因此，達文西在這張肖像畫中不僅分析了科學上面部肌肉的牽動，更試圖用渲染法一層層使微笑在嘴角四周蕩開，如同水波顫動的光。

　　人在微笑中保持著生命最舒適、自在、優雅、從容的狀態。肖像中的女子雙手交握，輕鬆自在，也呼應著面部的微笑與心中的喜悅。

　　微笑像一種空氣的氛圍，從主體人物擴張到背後的山川風景，籠罩在霧中朦朧的山水，像一種聲音在四處迴響。

　　許多人討論到「蒙娜麗莎」背後的山川風景來自於東方，特別是中國宋元山水畫的靈感。

　　達文西的時代，宋元山水畫已發展了五百年，歷史上雖然無法證明達文西看過宋元山水畫，但是在幾件達文西油畫中，都看到同樣近似單色系水墨的中國式山水。

　　達文西創造了一種「霧狀透視法」，不是以科學的透視比例設定空間距離的遠近，而是以視覺的模糊、朦朧，使空間產生邈遠幽微的神秘距離，也與中國山水畫的美學相合。

　　背景的山水畫彷彿解讀著肖像中女子的內心世界，如此幽靜、平和，卻又深不可測。

　　「蒙娜麗莎」的神秘正是因為她不只是生理形貌上的肖像，而更是內心心靈世界神秘的探測。

　　達文西收藏在羅浮宮的「岩窟聖母」、「聖家族像」，以及他最後的作品「施洗約翰」，都以同樣「霧狀透視」的技法，使畫中人物籠罩在一層霧的朦朧中，沒有清晰的線條輪廓，卻是在朦朧中逐漸浮起的一種亮光，可以從不同角度觀看他熱中色彩與光奇妙的變化關係。

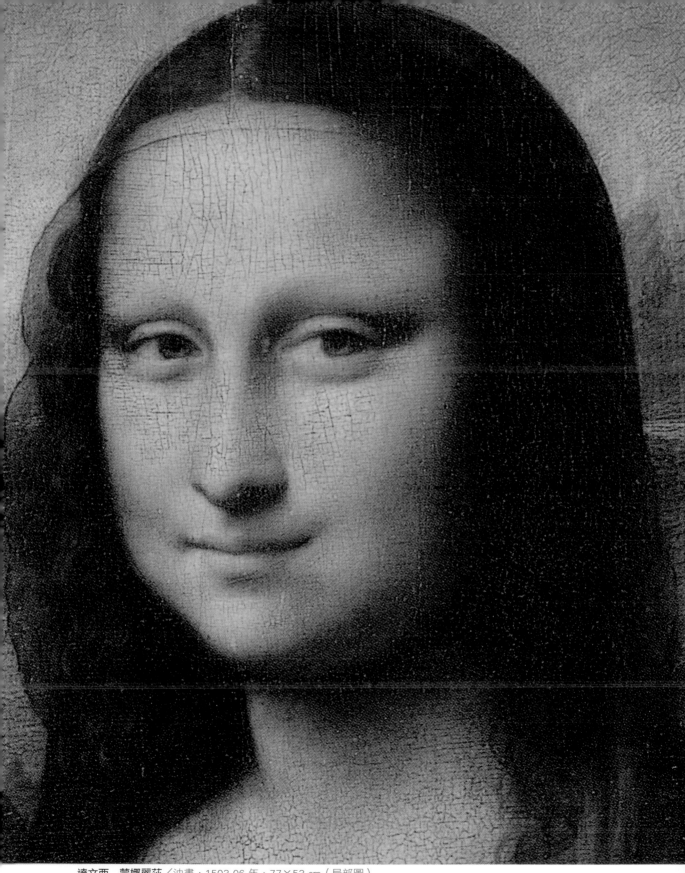

達文西　蒙娜麗莎／油畫，1503-06 年，77×53 cm（局部圖）

米開朗基羅　垂死的奴隸／
石雕，1513-15 年，
高 209 cm（右圖，右頁圖
為局部）

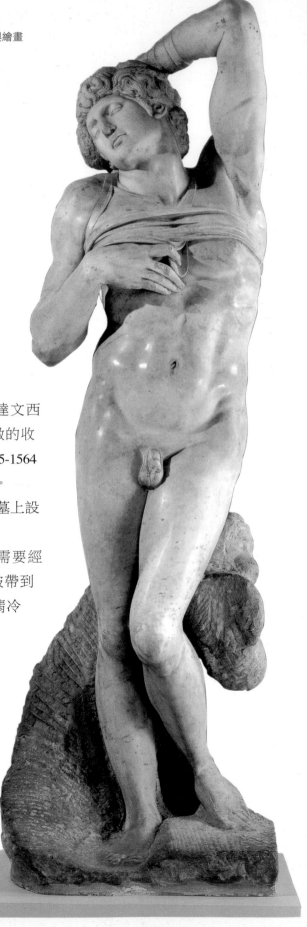

米開朗基羅　垂死的奴隸
石雕，1513-15 **年，高** 209 cm

米開朗基羅　被綁的奴隸
石雕，1513-15 **年**

　　義大利文藝復興三位最主要的人物，達文西
最重要的作品多在羅浮宮。拉斐爾也有少數的收
藏。米開朗基羅（Michelangelo Buonarroti, 1475-1564
年）則只有兩件「奴隸」雕刻收藏在羅浮宮。

　　「奴隸」像原來是為教皇朱力二世的陵墓上設
計的，一共有六尊。

　　朱力二世的陵墓計畫一再改變，因為需要經
費，米開朗基羅就把先完成的兩件出售，被帶到
法國，成為羅浮宮收藏，其他四件則留在翡冷
翠，目前收藏在學術院美術館。

　　這一組作品是米開朗基羅創作上轉變期
的作品，他早期的雕刻重視細節，打磨光
滑，傳達出優雅的古典精神。

　　1513 年米開朗基羅創作「垂死的奴
隸」，表現一個男體在瀕臨死亡的狀
態。米開朗基羅信仰新柏拉圖哲學，
相信人的心靈與肉體在分離與融合為
一的掙扎中。

　　這件「垂死的奴隸」也不完全是表達死亡，而是觸探著人的靈魂要告別肉體時的微妙狀態。

　　「垂死的奴隸」一隻手撫在胸前，面容上不是一般死亡的痛苦掙扎，卻似乎反而是一種解脫肉體的陶醉微笑，這是米開朗基羅獨特對肉體解脫的看法。

　　「垂死的奴隸」還看得出米開朗基羅前期作品講求細節，精雕細鑿，打磨圓潤的風格。

　　但是，另一件「被綁的奴隸」，已經看到米開朗基羅大刀闊斧，粗獷刀法的表現。

　　一個男子，左手被綁在後面，身體扭曲，上身與下身反方向扭轉，是米開朗基羅表達律動感的特有美學。

　　男子的臉部並沒有細雕，卻與身體的渾然樸質相呼應，在西方雕刻史上是巨大的革命，啟發了近代羅丹的雕刻風格。

　　米開朗基羅是文藝復興轉變過渡到巴洛克藝術的關鍵人物，他使具象的視覺藝術提升到哲學性抽象思維的層次。

　　這兩件「奴隸」像與翡冷翠的四件，一共六件也被稱為「囚犯」，其實米氏是想藉此傳達人的精神是自己肉體的「囚犯」，也是自己肉體的「奴隸」，精神心靈渴求解放，完全自由，但是肉體沉重，形成負擔與綑綁，使人無法真正自由。

　　羅浮宮的兩件雕刻正好可以具體而微瞭解米開朗基羅的美學本質。

米開朗基羅　被綁的奴隸／石雕，1513-15 年（左和上圖）

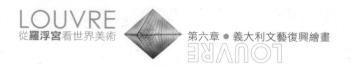

拉斐爾　卡斯迪里歐肖像／
油彩畫布，1514-15 年，
82×67 cm

拉斐爾　卡斯迪里歐肖像
油彩畫布，1514-15 **年**，82×67 cm

文藝復興時期的「學者外交家」卡斯迪里歐（Baldassare Castiglione）是畫家拉斐爾（Raphael Raffaelo Sanzio, 1483-1520 年）的好朋友，因此這張肖像畫就像是兩個好朋友之間的對話，充滿了平凡但又深刻的情感，是一般肖像畫沒有的。

文藝復興肖像流行四分之三的正面，身體微微傾斜，雙手交握，這在達文西的「蒙娜麗莎」中也可以看到同樣的安排。

拉斐爾很受達文西影響，但是他少了達文西詩意的神秘與朦朧，卻對物質的層次有更細微精緻的描寫。

畫中男子服裝上有一片灰色絲絨的質料，包括袖子和前襟。拉斐爾用非常驚人的豐富層次表現柔軟的絲絨在光線中富於變化的質感，從淺灰的白色反光，一直到深灰色，層次的複雜細膩令人嘆為觀止，是最可以瞭解拉斐爾技法的一件傑作。

畫中的男子以專注的眼神看著畫家，深邃的屬於學者文人的眼神，卻也是與好友傾心相對的眼神，眉眼間帶著深思熟慮的學者特有的深沉，彷彿對許多事物都有深刻的關心。

文藝復興的肖像畫在拉斐爾的時代，更傾向於捕捉個人在時代中角色的特徵。

這張畫在麻布上的油畫，傳達出織品細緻質感中平塗油料的光澤。拉斐爾使「麻布」逐漸代替原有傳統繪畫的「木板」，建立油畫與布之間的新關係。

卡斯迪里歐是義大利文藝復興人文主義學者的代表典範，拉斐爾也藉這張肖像傳達了一個時代人文教養的優雅、尊貴。

提香　田園音樂會／油彩畫布，約 1509 年，110×138 cm（上圖，右頁圖為局部）

提香　田園音樂會
油彩畫布，約 1509 年，110×138 cm

　　十五世紀以後，威尼斯逐漸成為繪畫的中心。威尼斯的崛起是靠航海貿易的稅收，當時威尼斯正在航向東方的航線上，貿易的頻繁，使這個城邦富有了起來。

　　因此威尼斯畫派不同於義大利中部的翡冷翠和羅馬，相較之下更傾向於商業消費文化的現實性，傾向於華麗物質與感官的享樂追求。

　　提香（Titian Tiziano Vecellio, 1485-1576 年）是威尼斯畫派的代表人物，他有許多為當時富商或貴族畫的肖像畫，也有許多取材自希臘神話故事的作品，也特別喜愛處理女性裸體的主題。

　　這一件「田園音樂會」，在一片自然田野間，兩名著當時服裝的男子坐在草地上，其中一名手持曼陀林，正在彈奏，一名裸體女子手持豎笛，似乎正要與男子合奏。

　　畫中另一名裸體女子手中拿著玻璃水壺，正要汲水。

　　這樣的畫面是十分奇異的組合，為什麼穿著正式服裝的男子會與裸女同時出現，而且自然相處？

　　富有繁榮的威尼斯港，充滿了水手的冒險與傳奇，提香常常把希臘神話裡森林中裸體的水仙（Nymphs）畫入作品中，她們豐腴飽滿充滿慾望自由解放的肉體正是威尼斯當時主流的美學價值。

　　彈曼陀林的男子衣著華麗，旁邊的男子則穿著樸素，也有學者認為華服男子是阿波羅太陽神，村民打扮的男子是酒神戴奧尼索斯，把神畫成當代人物，也是文藝復興的創舉。

　　提香把現世威尼斯的享樂、感官、音樂之美與女體的慾望，結合在一片富麗寧靜的大自然中，藉著希臘古老神話的嚮往，表現威尼斯當時的現實生活美學。

　　提香畫中女性的肉體已遠遠脫離了文藝復興義大利中部翡冷翠畫派的理想與高貴，達文西的完美形式被提香帶進更世俗現實之美的誘惑中。

維洛內塞　加納的婚禮／油彩畫布，1562-63 年，666×990 cm（上圖，右頁圖為局部）

維洛內塞　加納的婚禮
油彩畫布，1562-63 **年**，666×990 cm

　　義大利威尼斯畫派在提香之後發展得更為彩色艷麗，尺幅巨大，以呼應整個城市在富有基礎上追求的奢華與享樂風潮。其中最具代表性的畫家就是維洛內塞。這一件「加納的婚禮」更是他極具代表性的作品。

　　「加納的婚禮」是新約聖經中一段故事，描述耶穌到了加納，應邀到一對新人的婚禮作客，婚宴進行中間，酒沒有了，主人有些尷尬，耶穌就叫僕人把水罐搬出來，結果水罐中原來的水都變成了酒，使婚宴中的人大為吃驚。

　　這段故事是新約中第一次記載耶穌施展奇蹟，因此，畫家常常用這個主題畫畫，表現耶穌具備神蹟的能力。

　　傳統畫家畫「加納的婚禮」，因為加納（Cana）是加利利地區一個小村鎮，居民並不富有，婚宴中來了耶穌與門徒幾個不速之客，酒就不夠了，畫家自然就以窮人或小康農民的家庭來佈置婚宴。

但是，在羅浮宮，面對維洛內塞（Veronese, 1528-1588 年）這件長達近十公尺，高度也有近七公尺的巨作，我們會發現，畫中的「加納」已不再是新約中描述的村莊。這張畫中背景部分有高聳的石柱，宏偉的建築，有石雕人像的陽台，有直上雲霄的鐘樓高塔，這樣的場景當然不是農村小鎮，而是維洛內塞生活的十六世紀以後豪富的威尼斯。

　　威尼斯在十六世紀已有許多富豪商人，在豪宅的中庭舉辦奢華的宴會，宴會中有白色桌巾舖設的長餐桌，滿桌的山珍海味都用珍貴的金銀或陶瓷容器盛裝。參加的多是社會上層的貴族、富商、教會的高階職員，他們講究禮儀、教養，在宴會中，還有小型樂隊演奏。

　　維洛內塞為了表達威尼斯人盛筵的氣派排場，藉助「加納的婚禮」為主題，把整個畫面處理成當時威尼斯豪華饗宴的形式。

　　畫中可以看到穿紅袍披藍色斗篷的耶穌坐在桌子中央，兩旁還有他的門徒，除了這一部分與新約聖經主題有關以外，其他的部分都可以說是當時威尼斯有錢人家宴會的寫實描述。冠蓋雲集，音樂美麗的演奏中，有僕人正在從雕花水罐中倒酒，給觀看者的感覺並不是在誇耀神的奇蹟，而毋寧是對現世富有美好生活的歌頌。

　　維洛內塞不是在讚美古老的宗教信奉，而是在顯耀自己時代的富足之美，他甚至把同時代許多人物都畫進畫中，穿白色袍子正在拉中提琴的那一位也就是維洛內塞畫家本人。

　　1562 年，威尼斯的聖本篤教會修建新的聖堂，因此聘任維洛內塞畫這樣一件巨作來裝飾，教會本身也希望這張畫能傳達出「奇蹟」似的豪華、富麗，令人驚艷的效果，維洛內塞因此大膽顛覆傳統，把新約這一段故事畫成威尼斯當代的盛大宴會，他以十五個月的時間畫了不下一百三十個人物，色彩強烈，各具動態，

也表現出威尼斯當時東西文化交融在一起的各種服裝織品的華麗。許多百姓攀爬在建築物各處觀賞，好像不是為了耶穌將水變酒的奇蹟，而是為了一場真實人間富麗堂皇的盛筵。

卡拉瓦喬　聖母之死／
油彩畫布，1601-05 年
369×245 cm（右頁圖）

卡拉瓦喬　聖母之死

油彩畫布，1601-05 年　369×245 cm

　　卡拉瓦喬（Caravaggio, 1571-1610 年）是西洋美術史上非常關鍵性的畫家，他39 歲就去世，留下的作品不多。

　　卡拉瓦喬重視寫實，不僅在技巧上傳達畫面中每一項物質的真實狀態，更重要的是他常常以寫實的態度面對傳統宗教題材，顛覆了教會對宗教人物的美化，使他常常與教會發生解讀上的衝突。

　　這一件「聖母之死」是 1601 年卡拉瓦喬接受羅馬斯卡拉聖母瑪利亞教堂委託的作品。聖母的死亡是傳統的主題，通常畫家都美化了聖母之死的畫面，聖母總是一片祥和安靜，圍繞著小天使，天空充滿了玫瑰花或雲朵，聖母從金色的雲端升起。

　　卡拉瓦喬在這件著名的「聖母之死」中否定傳統的畫法，聖母穿著絳紅長袍躺在床上，她的左手垂在床邊，面孔蒼白，如同一般飽受肉體之苦的臨終病人，甚至腹部顯得脹痛，右手置放在胸腹間。

　　卡拉瓦喬一向認為宗教中的「聖人」是和凡俗人間受苦的生命一樣，因為受苦，才有了對眾生的悲憫。耶穌為救贖世人，所以才釘死在十字架上，受最大的苦。卡拉瓦喬在他的繪畫闡釋「受苦」與「神聖」之間的關係。

　　卡拉瓦喬這樣的觀點當然觸怒了教會，像這一件「聖母之死」完成之後，飽受批評，認為畫中的「聖母」如同一般女人的屍體，除了頭部一圈不容易辨認的細細光環，沒有「聖母」應有的華貴與尊嚴。

　　這件名作因此被委託的教會拒絕接受，卡拉瓦喬再一次與他的業主發生矛盾，使他繼續潦倒落魄，甚至成為一名傳說中惡名昭彰的畫家。

卡拉瓦喬　**聖母之死**／油彩畫布，1601-05 年　369×245 cm（左右頁為局部圖）

　　事實上，這件作品刻劃了聖母死亡沉重的悲劇氣氛，在耶穌門徒環繞中，聖母孤獨的死亡，彷彿沉默無言的儀式。門徒們掩面哭泣哀悼，聖母雙腳赤足張開，絲毫沒有一般聖母像優雅的姿態，卻傳達死亡真實的悲苦張力。

　　前景右側坐在椅子上低頭痛哭的是瑪德蓮，左側站立的應該是門徒彼得。

　　畫面上方懸吊一張紅色幕幔，光線從左上角斜射進來，大部分的門徒在暗影中，光照亮了聖母飽經病痛折磨的臉，照亮了瑪德蓮的後頸部，在強烈的明暗對比中特別凸顯畫面凝重、沉默、哀傷的氣氛，這是卡拉瓦喬最善於使用的「明暗對比法」，也是他在技巧上對後世美術影響最大的一種形式，十七世紀以後使用「明暗法」的大畫家如林布蘭，都是受卡拉瓦喬所啟發。

　　這件高 3.69 公尺的作品在卡拉瓦喬的畫作中是比較巨幅的，其中光線複雜幽微的豐富層次，尤其值得靜下來慢慢欣賞。

　　教會人士認為畫中聖母不雅觀的姿態羞辱了宗教，因此拒絕這張傑作，十七世紀下半葉法國國王路易十四收藏到這件作品，因此使這件名作納入羅浮宮的典藏。

第七章 法蘭德斯畫派

　　包括今天比利時、盧森堡以及荷蘭一部分在內的法蘭德斯畫派，在十五世紀以後發展出不同於歐洲南方義大利文藝復興的藝術形式，以油畫為材料，趨向於精密的寫實主義，在羅浮宮有幾位值得注意的畫家。

凡・艾克　羅林總管聖母圖
油彩畫布，66×62 cm

　　十五世紀活動在今日比利時法蘭德斯地區的畫家凡・艾克（Jan van Eyck, 1395-1441 年）在西洋美術史上據有重要的地位，他常被認為是歐洲繪畫史上最早運用「油畫」（Oil Paiting）的畫家，在他使用油畫顏料的同時，義大利畫家多還在畫「蛋彩畫」或「濕壁畫」。

　　油畫以「油」做調劑，乾得比較慢，畫家可以長時間修飾，筆觸可以修改，可以做比較精細的描繪。

　　這件作品是凡・艾克受羅林（Rolin）總管委託畫的油畫。畫面是聖母穿著紅

凡・艾克　羅林總管聖母圖／油彩畫布，66×62 cm

　　袍，手中抱著聖嬰耶穌，聖母後方有天使捧著寶石冠冕，正在為聖母加冕。

　　中世紀時代，聖像畫上不容許有凡人，後來捐錢畫聖像的「供養人」把自己畫在畫上，開始畫得很小，還是表現人的卑微，不能與神同等位置。但是，到了十五世紀中期，像羅林總管這樣有錢有勢的人，他曾經做過法國勃艮地

凡·艾克　羅林總管聖母圖／油彩畫布，66×62 cm（左右頁為局部圖）

（Burgandy）公爵國兩任的總管，比國王還富有，因此他就要求畫家把自己畫在聖母與聖嬰前，雖然雙手敬拜神，但已經有與神平起平坐的意味。

　　勃艮地公爵國在法國中部，但同時統治北方屬於今天比利時一帶的領域，因此由北方法蘭德斯畫家畫這件作品。

　　凡·艾克以精細的油畫技法處理羅林身上紫色袍子上銀線的繡花，表現地面上花磚的質感，表現拱廊外面遠眺出去的寫實風景，這些精細真實的畫法正是法蘭德斯不同於南方義大利繪畫的特色，油畫精密的寫實技法將逐漸取代南方畫風，成為歐洲繪畫的主流。

　　這張畫原來是法國歐坦（Autum）城聖母院的祭壇畫，法國大革命後被送往羅浮宮收藏。

昆丁·麥西　錢莊夫婦

油彩畫布，1514 年，71×67 cm

　　1465 年畫家昆丁·麥西（Quentin Metsys, 1465-1530 年）出生在比利時魯文，之後，他到安特衛普發展，成為當地重要畫家。在他活躍於安特衛普時，這個小城

昆丁・麥西　錢莊夫婦／油彩畫布，1514 年，71×67 cm（左頁圖，上圖為局部）

正好成為南方葡萄牙、西班牙商人貿易的重要貨物集散地，歐洲南北的商業都匯集於此，也正因為如此，安特衛普出現了許多以借貸及貨幣交換為工作的錢莊，畫面中的「放高利貸」的男子，正是當時常見景象。

昆丁·麥西　錢莊夫婦／油彩畫布，1514 年，71×67 cm（左右頁為局部）

　　畫中的男子正用精緻的天秤計量著面前堆放的珠寶、珍珠、金幣、一切珍貴的人間物質；而他的妻子看著這些珠寶，卻翻閱著一本心靈信仰的福音書。

　　在商業暴富的衝擊下，安特衛普受到在心靈與物質之間的矛盾衝突，原來這個地區在長久中世紀傳統中是執著於基督教清貧信仰的，認為一切人間財富只是修行心靈世界的障礙，因此畫家選擇這樣的題材，對比讀福音書的妻子，與貪婪於人間財富的丈夫之間的矛盾。

　　畫家不僅以精密的油畫技巧寫實描繪出商業發展下的時代真相，也同時在畫面安排了許多具象徵性的物質，暗示中世紀信仰對道德的堅持。

　　在藝術技巧上，觀賞者可能看到精密寫實技巧，令人嘆為觀止的功夫，例如背景玻璃水壺，唸珠的透明質感；然而，對研究圖象學歷史的人，卻可能看到更象徵的層次，玻璃水壺與唸珠正是聖母瑪利亞純淨無垢的象徵。

　　夾在中世紀道德寓意與近代寫實繪畫之間，昆丁·麥西這一件作品達到完美的結合。

魯本斯　瑪麗·德·梅迪契
皇后一生／
油彩畫布，1621-25 年，
394×295 cm
（右頁圖為 4-1）

魯本斯　瑪麗·德·梅迪契皇后一生
油彩畫布，1621-25 **年**，394×295 cm

　　羅浮宮有一間大畫廊陳列著法蘭德斯巴洛克畫派大師魯本斯（Peter Paul Rubens, 1577-1640 年）的二十二件鉅作，每一件作品都有 7.27 公尺寬，3.94 公尺高。這二十二件作品是一系列作品，敍述法國歷史上一位皇后瑪麗·德·梅迪契的一生，是歷史繪畫中最值得注意的連作。

　　梅迪契家族是文藝復興義大利翡冷翠最著名的統治者，這個家族帶動了歐洲商業的繁榮，文化的興盛，文藝復興的建築、科學、藝術的發展，都與這個家族的贊助有關，達文西、米開朗基羅都是這個家族培養的精英。

　　1575 年，瑪麗皇后出生在梅迪契家族，她是當時托斯堪省大公爵法蘭西斯一世的第六個孩子。

　　1600 年，瑪麗嫁到法國，乘船從馬塞港登陸，攜帶義大利文藝復興的文學、音樂、建築、繪畫，對法國的文化發展產生很大的作用。

　　1610 年，她的丈夫亨利四世死亡，兒子只有九歲，瑪麗皇后擔任攝政王，掌控政權。

　　瑪麗皇后極具政治野心，意圖擴張勢力。1617 年，十六歲的兒子在大臣擁立下，與母親瑪麗皇后爭奪政權，瑪麗皇后失敗後被放逐，由兒子路易十三取得政權。

　　1619 年，瑪麗皇后再度發動攻擊親生兒子路易十三的戰爭，後經斡旋和解，路易十三終於准許母親回到巴黎。她在巴黎修建著名的盧森堡宮，也就在這段時間，她找來魯本斯，畫下自己一生的功業，有傳之後世，揚名於歷史的意味，因此成為羅浮宮一間大廳的二十二件傳記繪畫的連作。

　　這二十二件作品是瞭解瑪麗皇后一生的重要資料，但是在瑪麗皇后的主使

魯本斯　瑪麗·德·梅迪契
皇后一生／
油彩畫布，1621-25 年，
394×295 cm
（右頁圖為 4-2，p94-95 為
4-3、4-4）

下，畫家魯本斯當然不免要以歌頌瑪麗皇后為主要使命，也將巴洛克藝術華麗燦爛的畫風發揮到極致。

在二十二件作品中最常被介紹的是「亨利四世升天與瑪麗皇后攝政」一件。

這張巨大作品分兩部分，左邊的部分是亨利四世死亡，有右手高舉鐮刀的死神把他帶往天國；右邊則是穿著黑色喪服的瑪麗皇后，在死去丈夫的哀痛中接受天神邀請，讓她接下代表攝政的權力象徵，以攝政王名義統治法國。

亨利四世是被謀殺而死的，畫面上他的腳下糾纏著毒蛇。除了死神之外，穿紅袍騎著老鷹的是諸神之王宙斯，祂以雙手迎接死者上天。

穿著喪服的皇后，寶座四周被天神環繞，她的左手邊拿盾牌的是智慧女神，右手邊的女神正要皇后接受政權象徵的圓球。送上圓球的女神，頭戴戰盔，是象徵法國的保護女神。

魯本斯在一張兼具歷史與政治目的的作品中，小心翼翼地使瑪麗皇后成為真正的主角，她的丈夫亨利四世在畫面中是畫在比皇后較低的位置。

巴洛克的彩色豔麗，人物充滿動態的結構，使畫面彷彿風起雲湧，迸放出活潑的生命力，也滿足宮廷貴族對華麗美學的虛榮感。

壯大、華麗、豐富、燦爛，一直是魯本斯巴洛克風的追求目的，這二十二件連作在羅浮宮同一個大廊，可說是瞭解巴洛克美學最好的範例。

在重回巴黎的幾年間，瑪麗皇后請魯本斯畫的這一系列連作並不是她精彩的一生，充滿政治野心的皇后後來還是不斷與兒子路易十三爭奪權力，1631 年再度被放逐國外，逃亡到比利時，尋求各國幫助，一直到 1642 年才在科隆逝世，放下人世間的權力追逐。

用天上諸神的榮耀襯托出人世間一頁繁華的政權歷史故事，巴洛克滿足了歐洲宮廷貴族的美學追求，然而這樣的繁華也正如浮光掠影，令人眼花撩亂，生死浮沉，暗藏著權力的傾軋陰謀。

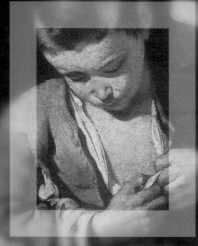

museé du LOUVRE
第八章／西班牙畫派

穆里羅　小乞丐／油彩畫布，1645-50 年，239×181 cm（右頁為局部圖）

　　西班牙在十七世紀成為歐洲強權，藝術上也出現了委拉斯貴茲、葛雷科等重要的畫家。委拉斯貴茲的最重要作品多在馬德里普拉多（Prado）美術館，葛雷科的作品則多在西班牙托雷多市（Toldo）。羅浮宮有一、兩件葛雷科作品，但難以窺見西班牙畫派的精髓。倒是西班牙畫派中以刻畫街頭乞丐、窮人生活的寫實作品，羅浮宮擁有一、兩件值得介紹的名作。

穆里羅　小乞丐
油彩畫布，1645-50 年，239×181 cm

　　「小乞丐」這張畫有一個通俗的別名——「除蟲男童」，因為畫面上衣衫襤褸的小男孩，正在陽光下，翻看自己衣襟裡的蟲子，用手指一一把蟲子掐出來。

　　穆里羅（B. E. Murillo, 1617-1682 年）是西班牙南部塞維亞（Seville）地區的畫家，他的技法受到義大利卡拉瓦喬的影響，一方面注重畫面的寫實，另一方面用明暗對比法區分畫面構圖。

　　這件作品中，在房屋的一個角落，從窗洞斜射進陽光，躲在牆角的小乞丐被陽光照到，好像畫家刻意選擇這一道光線，帶領觀眾看一眼平日不容易看到的陰暗角落，陰暗、貧窮、骯髒，但是有生命生存著。小乞丐專心地在陽光下翻著衣襟，尋找蝨子，這些躲藏在衣縫裡，不時嚙咬他的小蟲。

　　小乞丐穿著破爛，補了又補的衣服，光著兩條腿，赤腳，腳上沾有泥土。他的身邊置放一隻陶的水罐，水罐邊一只草編的提籃，籃子裡有蘋果，地面上散落一些蝦米乾。似乎小乞丐剛從市場上撿了一些食物回來，在一個角落吃完了餐，覺得陽光很好，就開始除蝨子。

　　在十七世紀，正是西班牙全盛時代，許多宮廷畫家都在君王主使下，創作以貴族為主題的巴洛克風的華麗肖像畫；但是，同時，在這些畫家身上，卻一直保有一種對民間低階層小市民的關心與同情。比穆里羅早的委拉斯貴茲，在他作為宮廷御用畫家的同時，就常常走出宮廷，描繪一般市井小民的平凡生活。

　　穆里羅受到這種西班牙特屬畫風影響，一生都以窮苦人民為畫作主題。

　　畫中的「小乞丐」沒有流於浮濫的同情，在他艱難求存活的辛苦中，畫家也讓他表現出抓蝨子時自得其樂的專心，彷彿擁有一個他人無法分享的孤獨角落。

　　西班牙的文學在十六世紀有以描繪街頭流浪漢著名的小說出現，在風行著騎士浪漫愛情傳統的文字風氣中，開創獨特的平民寫實風格。

　　因此，也有人認為穆里羅這件「小乞丐」有可能是當時盛行的拉沙里羅（Lazarillo de Tomés）小說中「小癩子」形象的捕捉。

　　也有人認為這張畫可能是居住在塞維亞的北方法蘭德斯商人訂購的畫。法蘭德斯的傳統信仰中有對窮人的同情施捨，也常以現實生活中的窮人為主題表現宗教中的悲憫。

　　穆里羅本身是宗教畫家，他或許覺得偉大的宗教，其實是在現實生活中看到芸芸眾生的痛苦而生出慈悲之心吧！

穆里羅　小乞丐／油彩畫布，1645-50 年，239×181 cm

里貝拉　瘸子

油彩畫布，1642 年，164×93 cm

里貝拉（Ribera, 1591-1652 年）在西班牙瓦倫西亞（Valencia）出生，但很早就移居到義大利南部的那不勒斯，也終老於此。這件「瘸子」畫於 1642 年，也是以那不勒斯的乞丐殘疾者為模特兒。

畫面上一個微笑的少年，穿褐色衣褲，褲腳很短，看得出他右腳的殘疾，或許得過小兒麻痺，行走時一瘸一瘸的。

少年的左手拿著拐杖，拐杖橫跨過肩膀，像一支長槍。少年得意地微笑著，好像發現別人在看他，停下來表現出友善的笑容。他的牙齒參差不齊，露出牙縫，很顯然缺乏好的保養。

衣衫破爛的瘸子沒有露出可憐的樣子，卻和善地微笑著，他左手還拿著一張白紙，上面用拉丁文寫著清晰可見的句子——因為上帝的愛，給我一點施捨。

這是一個殘疾者，也是一個乞丐。當時那不勒斯的天主教會准許乞丐、殘疾者，特別是瘖啞人，可以拿著這樣的紙片在街上乞討。

畫家里貝拉壓低了地平線，讓瘸子的身影顯得像一尊高聳的雕像，有生存的莊嚴，而沒有一點卑微可憐的樣子。

天空明亮的藍色與輕盈的雲彩襯托著人物的笑容，生活是可以如此美好幸福的，即使身體有殘疾，即使需要以乞討維生。

1642 年，里貝拉畫這件作品時已年過五十歲，是他成熟期的作品，擺脫早期受卡拉瓦喬影響的陰暗與沉重。這一時期，他受威尼斯畫派提香影響，畫面更自然明快，以低視角處理一個乞丐，使他有帝王或聖人的崇高。這件很可能也是由北方法蘭德斯商人訂購的作品，以寫實生活的方式轉換宗教的信仰到窮人的關懷，是十七世紀美學值得注意的轉變。

第九章

荷蘭畫派

十七世紀荷蘭脫離西班牙統治，成為獨立的國家，發展海權，經濟富裕，繪畫上也出現以真實生活平凡人物為主題的畫風，產生有林布蘭和維米爾等著名畫家，羅浮宮收藏的荷蘭畫派作品並不多，但有兩件是不可錯過的名作。

維米爾　蕾絲編織
油彩畫布，1669-70 年，24×21 cm

維米爾（Jan Vermeer, 1632-1675 年）是十七世紀荷蘭最重要的畫家，他住在德伏特（Delft）小城鎮，一生以諸多日常生活中的人為畫作主題，特別是女性，「倒牛奶的女佣」、「讀信的女子」、「戴珍珠耳環的女人」，維米爾在小小的畫面中留下他那一時代女性溫婉安靜的生活一瞥，好像天長地久，她們才是時間中永恆的生命價值。

這件「蕾絲編織」只有 24 公分高，21 公分寬，是維米爾最小幅的作品。

在小小的尺寸中，維米爾似乎希望人們要如此聚焦在一種日常生活長久的專注中。

維米爾　蕾絲編織／油彩畫布，1669-70 年，24×21 cm

　　穿黃衣的女子，低著頭，專心工作，前景的桌面上舖著深藍織花的桌巾，一
個深藍有條紋的軟墊，一本厚厚的書，一般學者認為是《聖經》，也傳達著荷蘭
新教當時的信仰，把日常工作視為對上帝的奉獻，使荷蘭畫家常在日常生活中把
握宗教信仰的真正意義。

　　畫面的焦點在女人的一雙手，手指之間白色的細線，非常纖細，非常精巧的
手工，和一些金屬別針的反光。在維米爾的畫中，如果慢慢看，會看到意想不到
的細節，在淡淡的幽微的光中，反映出天長地久，平凡又永恆的生活價值。

　　維米爾傳世作品只有三十件左右，大畫家雷諾瓦讚美這一件是最美的一件。

林布蘭　示巴出浴／
油彩畫布，1654 年，
142×412 cm
（右頁圖，右圖為局部）

林布蘭　示巴出浴
油彩畫布，1654 年，142×412 cm

　　林布蘭（Rembrandt van Rijn, 1606-1669 年）是十七世紀荷蘭最偉大的畫家，他一生不斷記錄自己從青年到衰老的自畫像，多達六十幾件，收藏在世界各重要博物館中。他的名作「夜巡」也成為阿姆斯特丹國家美術館的鎮館之寶。

　　這一件「示巴出浴」是林布蘭 48 歲成熟期的作品。

　　示巴是基督教聖經的一位美女，她的丈夫是大衛王手下的一名將領──烏利亞（Uriah）。有一次示巴出浴，被大衛王看到，愛上了她，因此產生姦情。

　　林布蘭運用古老聖經這一段故事，以自己第二任妻子亨德瑞奇（Hendrickje）為模特兒，畫出她沐浴時的景象。

　　林布蘭似乎使古老聖經裡的美女成為無辜的受害者，她的美麗引發了姦情，成為聖經指責的罪人；然而，在畫家筆下，她仍然一清如水，只是一個好單純的沐浴的女子。

　　聖經故事中的示巴是悲劇的，她的沐浴被大衛王看到，為了占有她，大衛王把她的丈夫送到戰場去送死，並且寫信向示巴求愛。

　　聖經裡上帝最後懲罰這一通姦之愛，讓示巴與大衛王生下的第一個孩子夭折死亡。

　　在林布蘭的畫面上，示巴手中拿著一封信，彷彿知道悲劇將要發生，但她陷在沉思中，似乎沒有能力扭轉命運。

　　坐在潔白的浴巾上，腳下有一名女僕正為示巴洗腳，林布蘭擅長於把古老的宗教故事表現在平凡的日常生活中。大衛王不在畫面中，沒有一般畫家對故事情節的描述，林布蘭集中表現著示巴一個人陷入沉思的心理狀態，使情緒的張力瀰漫在畫面中。

　　畫中模特兒是林布蘭第二任妻子，曾經是照料他的女僕，在他失去第一任妻子、最窮困潦倒時給他最多的支持與愛。林布蘭在畫這個赤裸身體時似乎也傳達了他對一個女子身體的細節充滿瞭解與愛。

　　林布蘭在明暗對比法中壓暗了背景，大片鬱暗的黑色中使赤裸的女體如珠寶一般晶瑩圓潤。

　　背後搭在椅子上的一件卸下的華服，以金銀線刺繡，華麗而貴重，可以看到林布蘭中年時期最成熟的油畫技法。他使女子肉體的誘惑與深沉的孤獨感混合在一起，產生既美麗而又憂傷的美學深度。

第十章 日耳曼畫派

杜勒　自畫像
油彩畫布，1493 年，56×44 cm

　　1471 年誕生在日耳曼地區紐倫堡的杜勒（Albrecht Durer, 1471-1528 年），是文藝復興時期最重要的北方大師。

　　這張自畫像畫於 1493 年，畫家 22 歲，一般人認為是西洋美術史上最早的一張自畫像。

　　畫中的杜勒右手中拿著一支薊草，有人認為那是象徵對他未婚妻的愛，但也有學者認為當時以薊草代表對基督的忠誠。

　　維也納美術館有一張杜勒 1484 年 13 歲時的自畫像素描，說明他很早就有觀察自己、記錄自己的意圖，也為西方美術的自畫像、肖像畫開啟傳統。

　　杜勒的父親是日耳曼地區的金工匠，手工極精細，杜勒受到很好的技法培育。在這張早年自畫像中，也以極精密的技法處理頭髮、帽子、衣服等細節。

　　白色內衣的皺褶處理得非常寫實，墨綠色外套的質感也極具重量感，連紅色衣邊的細部都一絲不苟，這正是日耳曼畫派的特長，此後杜勒雖然數次翻越阿爾卑斯山，到南方義大利習畫，但他始終保有自己日耳曼地區的嚴格寫實畫風。

杜勒　自畫像／油彩畫布，1493 年，56×44 cm

第十一章 法國畫派

　　羅浮宮的繪畫收藏包含歐洲各個地區的精品，例如義大利文藝復興時期的達文西、拉斐爾，威尼斯畫派的提香，日耳曼畫派的杜勒，法蘭德斯畫派的維米爾、林布蘭，西班牙畫派的葛雷科、穆里羅、里貝拉⋯⋯ 等等，可以說是全面瞭解西洋美術最好的地方。

　　然而，羅浮宮收藏中最豐富的當然是法蘭西的畫家作品。

　　法國繪畫藝術早期並沒有建立自己的特色，十四世紀前後，夾在北方法蘭德斯與南方義大利兩種美學影響下，法國的畫家吸收了雙方面的長處，逐漸形成自己的畫風。

　　十六世紀，法蘭西斯一世極力推崇義大利文藝復興，把達文西聘請到法國，奉為上賓，因此，法國的繪畫一度完全以義大利文藝復興為典範，法國十七世紀繪畫上的古典大師普桑（Poussin）就是最典型的例子。

　　十七世紀另一位長時間不為人所熟知的畫家喬治・德・拉突爾（George de Latour），受卡拉瓦喬影響，在明暗對比法中尋找到一種非常安靜內斂的力量，一方面寫實現實人生真相，一方面提升宗教聖潔崇高的情操，融合北方畫派與南方

畫派的特色。他的畫作不多，但收藏在羅浮宮的四、五件作品都非常具代表性，是十七世紀法國繪畫史上具代表性的人物。

十八世紀，法國路易王朝時代，崇尚華麗享樂的巴洛克風，特別是到後期洛可可（Rococo）美學的纖巧細膩，形成一種特殊的法蘭西宮廷美學，如布歇（Francois Boucher）對女性肉體的處理，極具感官挑逗性；華鐸（Watteau）以貴族逸樂冶遊生活為主題的畫風，輕盈中帶些微感傷，似乎都預兆著繁華盛世中隱藏大革命天翻地覆沒落的命運。

1789 年法國發生大革命，法國藝術進入領先世界的全盛時代。

在革命前，受啟蒙運動影響，如夏丹（Chardin）等畫家已經傾向於表達生活中人性的樸實尊貴，他常常以人民日常生活如廚房、餐飲為主題，一些平凡的生活細節，卻紮實有力，顛覆前一階段洛可可式的浮華虛榮之美。

大革命前後最具代表性的畫家是大衛（Jacques Louis David），革命前是激進的革命黨，親身參與革命，介入政治，參與路易十六與皇后的審判，畫下了皇后上斷頭台的最後一張素描。

到拿破崙執政，大衛成為首席御用畫家，拿破崙稱帝，大衛奉命畫下「加冕圖」，成為羅浮宮最著名的收藏之一。

大衛最重要的作品，革命前的「馬哈之死」、「賀拉斯宣誓」，以及革命後的「加冕圖」都在羅浮宮，是瞭解法國走向十九世紀美術最關鍵性的人物。

十九世紀是法國藝術的高峰，大衛和學生安格爾（Ingres）建立新古典主義（Neo-Classicism），成為全世界美術學院派的基礎。

安格爾的繪畫描繪十九世紀法國沒落的皇室貴族的肖像。沒落，但是充滿了貴族的矜持與教養，他的這一系列作品是羅浮宮大廊中最受一般遊客注意的作品。

安格爾以「土耳其浴女」為主題的作品華美貴氣，畫面形式美麗無瑕疵，也

代表著新古典主義特有的精緻完美。

新古典主義之後，崛起了浪漫主義（Romanticism），代表人物是德拉克瓦（Delacroix）和傑利訶（Gericault），前者著名的「自由女神領導民眾」是法國歷史上最重要的作品之一，後者的「梅杜沙之筏」，描述當時的海難事件，驚濤駭浪，恰當地表現浪漫主義煽動人的感官達到激情效果的美學。

十九世紀五〇年代，浪漫主義又為新崛起的寫實主義（Realism）取代，巴比松畫派的米勒（Millet）、柯洛（Corot），都以寫實法國現實生活中的農村與自然風景為主題，而這一部分的作品，已是羅浮宮收藏品時間上的下限，許多米勒與柯洛的作品已經在羅浮宮對面的奧塞美術館（Musée d' Orsay）展出，是接續羅浮宮的另外一個巴黎最重要的美術館。

亨利‧貝麗敘斯　聖丹尼斯殉難祭壇畫
1415 年，162×211 cm

這件祭壇畫大約是西元 1415 年法國狄戎（Dijon）的香摩（Champmol）修道院原作，畫家亨利‧貝麗敘斯（Heeri Bellechose）是勃艮地公爵的宮廷畫師。

勃艮地是十四至十五世紀歐洲文化最盛的一個公爵國，這個公爵國的首府在法國中部的狄戎，但是也同時統治北方的比利時地區，因此，有許多藝術風格與法蘭德斯畫派有關，畫這件作品的貝麗敘斯就是出身法蘭德斯的畫家。

這件作品的主題是「聖丹尼斯殉難」。

聖丹尼斯是基督教的聖人，他在第三世紀時到當時的高盧（Gaule），即今天的法國傳佈福音，因此被羅馬帝國視為異端份子，抓起來處死。

傳說中斬首之後，聖丹尼斯站起來，雙手捧著自己的頭，把頭埋在巴黎北邊的蒙瑪特（Montmartre），因此他也被尊奉為巴黎第一任大主教。

亨利・貝麗敘斯　聖丹尼斯殉難祭壇畫／1415 年，162×211 cm

　　祭壇畫中央是釘在十字架的聖子耶穌，十字架上方是聖父耶和華，以及如火焰構成光環結構的「聖靈」，也就是天主教的「三位一體」。

　　畫面左側是一座古堡，聖丹尼斯被囚禁在獄中，穿藍袍的耶穌在柵欄外為他做最後領受聖餐的儀式。

　　畫面右側是聖丹尼斯受斬首之刑，劊子手高舉大刀，聖丹尼斯連續動作，從赴死到斬首，最後身首分離彷彿電影的連續蒙太奇，表現出「殉難」這一主題。

　　這一時期歐洲的藝術稱作「國際哥德形式」，以金色為背景，藍色的深沉與金色搭配，使祭壇畫充滿華麗又莊嚴的感覺。

富格　查理七世肖像／1445-50 年，85×70 cm

富格　查理七世肖像
1445-50 **年**，85×70 cm

　　查理七世（1403-1461 年）是法國歷史上很重要的一位國王，在他領導下，結束與英國的「百年戰爭」，奪回被英國占領的土地，開啟法國獨立自主的文化歷史。

　　在這張被認為是歐洲最早的肖像畫之一的作品上，保留原來的老畫框，畫框上下兩端都有文字，記錄著「法蘭西國王」、「查理七世」等字眼，一般學者也認為是查理七世為停戰紀念而製作的肖像，因此繪製年代界定在 1445 至 50 年之間。

　　富格（Jean Fouquet）是查理七世的宮廷畫家，他深受北方法蘭德斯畫派影響，在這件國王肖像中，以極寫實的方法刻畫出人物的性格特徵，因此國王並未被美化，有著細小的眼睛，瘦削的雙頰，嘴唇兩側很深的法令紋，較大的鼻子，透露著冷靜而又深思熟慮的表情。

　　在兩側白色的簾幕之間，查理七世雙手交握，穿著鑲了貂皮領口與袖口的紫紅色大衣，頭上戴著藍色鑲銀絲滾邊的禮帽，衣著不算華麗，但有一種君王的莊嚴。

　　在簡單的綠色背景襯脫下，畫家富格巧妙地凸顯人物面部性格強烈的特徵，包括高挑的眉毛、深沉的眼神、有些疲倦的眼袋、嚴峻的嘴角與下巴，都使人看了之後對日理萬機的君王有深刻印象，此正是北方寫質主義精神最傑出的表現。

克勞維　法蘭西斯一世肖像

1530 年，96×74 cm

　　法蘭西斯一世在 1494-1547 年間統治法國，他在即位三十年後，征服法國東部的敵對勢力，囚禁了神聖羅馬帝國的皇帝查理五世，使法國政治勢力達於巔峰，法蘭西斯一世因此發展出法國統治者前所未有的文化胸襟與廣闊的人文視野，聘請許多義大利文藝復興的大師，建立法國最重要的楓丹白露畫派（Fontaineblau），甚至把晚年的達文西請到法國，為此羅浮宮得以收藏達文西最重要的畫作「蒙娜麗莎」。

　　在克勞維（Jean Clovet）的這件肖像中還是可以看到法國受北方畫派影響的寫實傳統，法蘭西斯一世雙手交握，半身像的形式都使人想起更早的富格畫的「查理七世肖像」。

　　但是在法國寫實肖像的傳統中，克勞維已明顯加入當時國王崇尚的義大利畫風。

　　人物衣著的華麗，以織錦細緻構成的衣袖的褶皺，頭上鑲嵌寶石的絲絨帽子，飄動的白色羽毛，背景是赭紅色織花的絲絨簾幕，這一切華麗而優雅的裝飾，都反映著義大利文藝復興美學在法蘭西斯一世身上發生的強烈影響。

　　雙手細緻而優美的動作，臉部淡淡微笑中透露的平和與教養，法蘭西斯一世不只在文化的外在接受義大利文藝復興的物質世界，更是從精神的內在品質上，使中世紀的法國過渡為充滿人文精神的文明國家。

　　這件肖像畫是法國藝術上的新標誌，學者指出，連畫框都已接受了義大利文藝復興形式，與富格的「查理七世肖像」畫框比較，半世紀之間，法國美學已有多處不同的演變。

　　以北方寫實畫法為基礎，結合南方唯美的裝飾，這件肖像畫說明了法蘭西斯一世倡導的人文美學達到融合性的成功，也預告法國美術將要主導世界。

克勞維　法蘭西斯一世肖像／1530 年，96×74 cm（左右頁為局部圖）

楓丹白露畫派　卡布麗葉姊妹／約 1594 年，96×125 cm（上圖，右頁圖為局部）

楓丹白露畫派　卡布麗葉姊妹

約 1594 年，96×125 cm

　　這件法國楓丹白露畫派的女性主題畫作是羅浮宮非常受人關注的一件作品。

　　畫面中一名女性用手指捏著另一名女性的乳頭，充滿怪異的曖昧動作與表情，引發人們對畫面謎語一般誘惑性的興趣。

　　在法國國王亨利四世（1553-1610 年）的統治下，他本身娶了義大利翡冷翠的瑪麗皇后，宮廷在強勢皇后主導下，充滿義大利文藝復興情調，美學上也極力崇尚文藝復興的唯美與感官享樂，被稱為第二次的「楓丹白露畫派」，以有別於較早法蘭西斯一世崇尚義大利的「第一次楓丹白露畫派」。

　　畫家沒有具名，因此只歸屬在楓丹白露畫派下。

楓丹白露畫派　卡布麗葉姊妹／約 1594 年，96×125 cm（左右頁為局部圖）

　　當時亨利四世有一位祕密的情婦，來自艾斯特（Estrée）的卡布麗葉（Gabrielle），她祕密懷了國王的孩子，孩子在 1594 年誕生，是亨利四世不敢承認的私生子。

　　在充滿隱私的故事背景中，畫家畫下了這件作品。

　　兩旁紫紅的簾幕拉開，觀賞者彷彿偷窺到一幕不應該看到的場景。

　　兩名華貴的婦人正在舖了白色浴巾的澡缸裡沐浴，她們在沐浴中，被窺見了，卻仍然保有貴婦人的端正，頭髮梳成高髻，有一種貴族的矜持。

　　卡布麗葉在右邊，左邊是她的姊妹巴拉妮公爵夫人（Madame de Balany），巴拉妮用左手手指輕輕捏著卡布麗葉右邊的乳頭，如此深情，但充滿了詭異的曖昧。

　　學者認為卡布麗葉懷了國王的孩子，但不能宣告，這個禁忌的故事就由一張繪畫來暗示，似乎要留在歷史上由後人揭發。

　　手指捏著乳頭正是女生「懷孕」將要哺乳的暗示，而透過前景的兩個女人，可以看到畫家刻意以透視法刻畫了背景幽暗處還有一名宮廷女僕在縫紉嬰兒誕生要用的衣物。

　　這樣充滿女性肉體感官之美，充滿誘惑性動作，卻又糾纏著謎語一般隱私情節的畫作，成為法國藝術上令人討論不完的議題，也似乎是法國美學獨樹一幟的精神本質。

勒南兄弟　農民家庭／油彩畫布，十七世紀，113×159 cm（上圖，右頁為局部圖）

勒南兄弟　農民家庭
油彩畫布，十七世紀， 113×159 cm

　　十七世紀的法國畫壇出現了三位兄弟畫家，他們姓勒南（Le Nain），被稱為勒南兄弟。老大叫安團（Antoine）、老二是路易、老三是馬太（Mathieu），因為三人的畫風很像，經常合作一起畫畫，到目前還不容易分出三個人的個別特色，他們的畫作也因此不具個人名字，而被稱為「勒南兄弟」共同的作品。

　　勒南兄弟常以窮困農民生活為繪畫主題，這是當時北方法蘭德斯畫派的傳統，以精密的寫實主義來刻畫平民百姓日常生活，用以傳達深沉的基督教新教信仰。

　　勒南兄弟在巴黎活動，受到明顯北方畫派荷蘭、比利時的影響，與十七世紀法國宮廷崇尚的義大利美學十分不同。

　　這種「農民家庭」主題畫作，勒南兄弟畫了不只一件，羅浮宮還藏有另外一件，尺寸較小，也是在描繪農民生活中簡樸的晚餐景象，畫於 1642 年，因此，推測這一件「農民家庭」的創作年代應該不會相差太多。

　　一個安靜的畫面，八個家庭成員，可能是祖孫三代，老祖父戴著氈帽，手中抱著一大塊麵包，大概就是一家人晚餐的主食了。地上有一陶甕，陶甕裡插著一只湯匙。年紀較大的婦人正面坐著，右手拿陶罐，左手端一杯紅葡萄酒。

　　畫面中央是吹短笛的小男孩，另外兩個孩子似乎怕冷，跑到後方的爐火邊取暖。最右邊還有兩個小孩，最小的一個坐在地上，光著小腿，有點呆滯的看著畫外。

　　畫面中有好幾對眼睛在看著我們，「我們」是看畫的觀眾，卻似乎反而被「觀看」了。

　　那幾對眼神中充滿詢問的表情，略微使看畫的人不安，好像「我們」忽然闖進一個安靜的家庭中，打擾他們平靜的生活。

　　北方寫實主義的傳統善於描繪窮人樸素簡陋的生活，但並不使他們卑微、可憐，在艱難的生活中，或許因為一種堅定的信仰，使他們有一種篤定的表情，呈現出生活中的尊嚴。

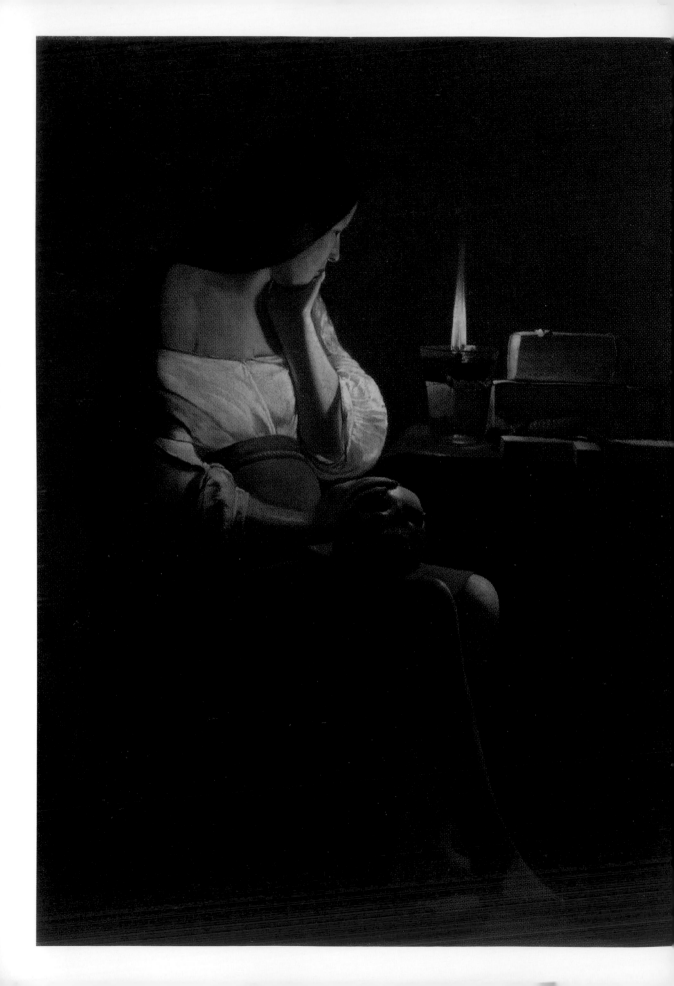

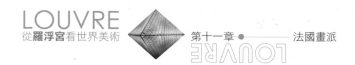

喬治・德・拉突爾

羅浮宮法國繪畫裡非常值得注意的一位畫家是喬治・德・拉突爾（Georges de La Tour, 1593-1652 年）。他活躍在十七世紀上半葉法國中部的城市「拉突爾」（La Tour），畫作不多，長久以來沒有受到很多注意，一直到近代，拉突爾才被熱烈討論，成為法國十七世紀最具代表性的畫家。

拉突爾畫作很少，羅浮宮收藏有六件，我們選出其中著名的三件來介紹。

喬治・德・拉突爾　瑪德蓮與骷髏
油彩畫布，1640-45 年，129×94 cm

拉突爾曾經畫過一系列以聖經裡瑪德蓮為主題的畫作，而羅浮宮收藏的一件是公認最完美的一件。

瑪德蓮是聖經裡受爭議的女子，原來是妓女，而後受耶穌感召，成為基督的信仰者。

拉突爾似乎想以瑪德蓮作為象徵，探討青春、肉體之美，與修行、死亡之間的複雜關係。

在幽微的燭光中，美麗的瑪德蓮低頭沉思冥想，她的上衣露出右邊的肩膀胸部，露出年輕豐美的肉體，但是她的膝上放了一具骷髏頭，瑪德蓮用手撫摸頭骨，她的沉思顯然與肉體的死亡有關。

瑪德蓮沉思死亡的主題被拉突爾以單純而潔淨的光線來處理，幽微的光照亮美麗的面龐，照亮桌上放的古老的聖經，也照亮頭骨。拉突爾使觀賞者的視覺經歷一次光在黑暗中的巡禮，也同時帶領視覺經歷了一次青春與死亡、修行與慾望之間的對話。

喬治・德・拉突爾　詐騙賭局／油彩畫布，106×146 cm（上圖，右頁和 p128-131為局部圖）

喬治・德・拉突爾　詐騙賭局

油彩畫布，106×146 cm

這是一件活潑而充滿嘲諷性的生活寫實作品。

畫面中有四個人，有三位正在玩紙牌，桌子上有一堆一堆金幣，說明這是一場賭局。

一名頭上紮著黃絲頭巾的女人從畫面左方走進來，手中端了一杯酒，她的右眼角悄悄瞄著左下角的男子，似乎向女主人密告賭局中有人作弊。

男子假裝若無其事，但觀眾已經看到他的左手握著兩張藏在背後腰帶間的紙牌。

戴紅色高帽子的女人面色嚴峻，伸出右手，命令男子把作弊的紙牌交出來。

非常戲劇性的畫面，拉突爾巧妙地傳達出人物之間微妙的關係，使靜態的畫面充滿了戲劇性的懸疑與緊張。

拉突爾受到義大利畫家卡拉瓦喬的影響很大，對人物衣著的織品質感有精細的描寫，抓住現實生活的一剎那，充滿現實生活幽默諧謔的喜劇感，定格成為永恆的繪畫傑作。

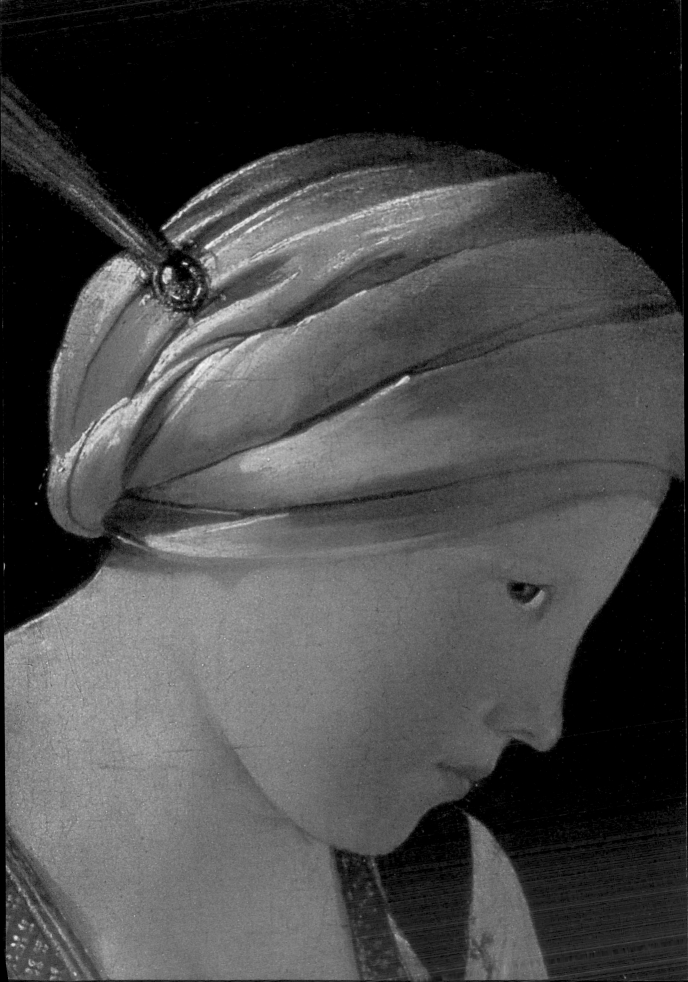

喬治·德·拉突爾　木匠約瑟夫／
油彩畫布，1642 年，137×102 cm
（左頁圖）

喬治·德·拉突爾　木匠約瑟夫

油彩畫布，1642 年，137×102 cm

　　拉突爾常常處理宗教聖經故事，但是他也往往對這些故事有不同於一般俗世畫匠的獨特看法。

　　畫面中的老人是耶穌的父親約瑟夫。

　　約瑟夫在一般畫家的畫中都是頭上有光環的聖人，但是拉突爾卻認為約瑟夫既然是一名木匠，他就應該如同現實生活中的木工木匠，穿著樸素，專心在木器製作的工作中。

　　約瑟夫專心工作，地上有他的工具，還有一圈剛刨下來的木皮。

　　也許因為專心工作，忘了時間，天色暗下來，貼心的兒子小耶穌點燃了一支蠟燭，幫助父親照明。

　　小耶穌右手拿著蠟燭，左手擋著光，讓光線可以照亮父親的工作，那幽微的一點燭光，連接著兒子的臉，父親的額頭、手臂，在親子之間，變成溫暖而動人的倫理親情之愛，拉突爾認為真正的「神聖」，應該是在人間平凡生活中體現的關心與溫暖吧。仔細看耶穌的左手，透過燭光手掌手指之間的透明度掌握到驚人的準確。

　　拉突爾對燭光的應用獨樹一幟，在羅浮宮同一面牆上可以比較他幾件作品中，同樣使用的明暗對比法。

　　拉突爾在羅浮宮的其他作品，如「牧羊人的朝拜」，描繪一群牧羊人圍觀剛出生的小耶穌，以及伊蓮手持火炬哀悼被箭射死的「聖塞巴斯汀」，都採用非常驚人的光的明暗對比，是在羅浮宮不可錯過的傑作。

普　桑

　　羅浮宮的大廳中有許多尺幅巨大的作品都是普桑畫的。

　　普桑（Nicolas Poussin, 1594-1665 年）代表法國十七世紀對南方義大利文藝復興繪畫的崇拜與嚮往，他生於 1594 年，30 歲的時候到羅馬學畫，一住十年，精心研究希臘、羅馬的古典文化。從奧維德（Ovid）史詩的閱讀，一直到古典建築、繪畫、雕刻的研究，普桑努力成為一名飽學的古典主義大師，因此他的畫作大多取材於古代文學經典，寓意深長，對一般人來說不太容易理解，卻代表那一時代法國貴族上層知識份子對古典文化的嚮往。

　　1640 年，普桑回法國，為當時的國王路易十三畫了不少作品，1642 年又再度回到羅馬，羅馬當時設有法國皇家學術院，專門培養學習希臘、羅馬古典文化藝術的工作者，普桑主導這個學術院，直接影響了十七世紀法國的宮廷藝術潮流。1665 年普桑逝世於羅馬，他一生大部分的時間在羅馬度過，也在他所熱愛與崇拜的古典文化中度過。

普桑　瑞貝卡與以來塞

油彩畫布，1648 年，118×197 cm

　　普桑常以古代經典的故事入畫，使他的繪畫作品充滿文學性、史詩性的隱喻，不瞭解故事背景，很難欣賞他的畫作。

　　這件作品主題來自聖經，聖經裡的亞伯拉罕，想為他的兒子以撒找一位新娘，他因此派遣家裡忠誠的僕人以來塞（Eliezer）回到故鄉查狄亞（Chaldea）去查訪。

　　以來塞身負重任抵達查狄亞，但是不知如何查訪，他向上帝禱告，上帝告

普桑　瑞貝卡與以來塞／油彩畫布，1648 年，118×197 cm（上圖，p136-137 為局部圖）

示他，次日在打水的井邊會有很多少女，但是有一位不忙著打水，卻把水分給大家，也用水去餵駱駝，這位少女才是適合以撒的新娘。

以來塞依據上帝的告示，就在井水邊找到了未來以撒的妻子瑞貝卡（Rebecca）。

畫面中央包著頭巾、身穿黃色長袍的男子就是以來塞，他正向瑞貝卡表明來意，瑞貝卡穿一身藍色的長袍，左手輕輕拉著裙襬，右手放在胸前，優雅而禮貌地表現出溫馴嫻淑的樣子。

普桑不只在傳達經書中的故事，他在畫面安排了將近十名少女，每個人都有不同的姿態，可以看出普桑意圖把他研究的希臘、羅馬古典雕刻的人體用在畫中，形成「古典主義」的完美構圖。

甚至連背景的建築，也看得出普桑試圖重建古代希臘、羅馬建築的形式，在畫面構成平衡又莊嚴的古典規則。

普桑的畫作不純然是視覺的欣賞，也同時是古典的閱讀，「閱讀」包含了古代經書的文字，也包含了古代建築與雕刻的整套人文內涵。

普桑　劫掠塞班女人／油彩畫布，1637-38 年，154.5×210 cm（上圖，右頁和 p140-141為局部圖）

普桑　劫掠塞班女人
油彩畫布， 1637-38 **年，** 154.5×210 cm

　　羅馬時代史學家普魯塔克（Plutach）寫過羅馬始祖羅慕路（Romulus）的傳說。

　　傳說羅慕路建國不久，因為族中缺少女人，擔心族群缺乏後代，不能繁衍，因此發動戰爭，搶奪鄰近種族塞班（Sabine）的女人。

　　塞班的男子非常氣憤，三年後回來復仇，要奪回他們的姊妹。但是，塞班女人已是羅馬人的妻子，生下了孩子，是羅馬人的母親，便出面阻止族人的戰爭。

　　這個羅馬古典史詩中的故事是普桑非常喜愛的主題，他在 1633 年就畫過一次（現藏美國大都會美術館），羅浮宮的這一件作於 1637-38 年。

　　普桑喜愛這個故事，與十七世紀義大利在繪畫裡對人體「律動」的興趣有關，畫家在處理「搶奪」、「劫掠」、「爭鬥」的故事中可以充份發揮人體動態

的表情。

　　普桑在畫面左上方安排了主角羅慕路，穿著羅馬將軍的戰甲，披著羅馬君王的披風，頭上戴皇冠，普桑使傳說裡的羅慕路一手高舉，擺出古代羅馬帝王雕像的姿態，這是典型「古典主義」的繪畫形式。

　　相對於羅慕路的篤定、崇高，畫面近景的部分是一團騷動、驚慌、充滿律動的人群。

　　男子搶奪女人，人群四散奔逃，馬匹騰踏，普桑在兩公尺寬的畫面中展開一場驚心動魄的歷史場景。

　　背景的部分，普桑仍然一貫運用他古典建築的知識，以透視角度，向畫面後方推出逐漸遠去的消逝點，與左側羅馬式的殿堂呼應，建構起完美的古典構圖比例。

　　巴洛克美學時代對「動」的高度興趣被普桑捕捉到了。

139

普桑　夏：拾穗的故事
油彩畫布，1660-64 **年**，160×118 cm

　　普桑在 1660 年接受委託，以春夏秋冬四季為題材畫了四件作品，這四件作品在 1664 年完成，第二年 1665 年普桑就去世了，這四件作品可以說是他最後的遺作。

　　以四季為主題，看起來像是自然風景畫，但是信仰古典主義的普桑仍然依據著經典來創作。

　　因此這一件「夏」，在一片麥田收割的自然風景中，前景的大樹旁，有一個頭包布巾的男子，身披黃袍，右手指著蹲跪在面前的女人，左手召喚遠處持長竿的僕人，正在下達命令。

　　這正是聖經舊約魯特記中的一段故事，魯特是一個貧窮女人，無依無靠，受到麥田主人波阿斯（Boaz）的同情，下令僕人保護這可憐女人，准許她在自己收割後的麥田中撿拾麥穗，求取溫飽。這段故事也就是後來米勒畫「拾穗」名作的來源。

　　畫中穿黃袍的男子是波阿斯，蹲跪在地上的女人是魯特，他們後來結為夫婦，生下奧伯（Obed），也就是大衛王的祖父。

　　普桑的畫作從古典的閱讀出發，可能深奧難懂，但他在畫面上營造的平曠田野，田野中夏天炎熱的氣味，麥田收割時繁忙又安靜的景象仍然不失為一件風景傑作。

普桑 夏：拾穗的故事／油彩畫布，1660-64 年，160×118 cm（左頁圖，上圖為局部）

李菶　路易十四肖像

油彩畫布，1704 年，277×194 cm

這件高 2.77 公尺的路易十四肖像，是瞭解法國歷史與藝術的重要作品。

路易十四在 1643 年登基，在長達五十年的統治中，穩定了法國的王室權力，建立絕對君王專制的獨裁政權，也以這絕對的權力全心發展文化，修建凡爾塞宮，使法國的建築、雕刻、繪畫達到空前蓬勃的狀態，也奠定以後法國成為世界強權的基礎。

路易十四修建凡爾塞宮，把舊皇宮羅浮宮改為收藏藝術品、進行文化審美活動的空間，也首次把羅浮宮從皇宮的角色轉變為藝術的收藏與展示場所。

這一件路易十四的肖像是當時宮廷畫家李菶（H. Rigard, 1638-1715 年）的作品，路易十四這一年已經六十三歲。

當時路易十四的孫子是西班牙的菲力浦五世國王，祖父想送一件禮物給孫子，就下令畫家畫一張自己的肖像。

因為肖像完成後，路易十四覺得畫得太好，所以這張畫沒有送到西班牙，反而留在羅浮宮。

這件君王肖像使後代可以瞭解絕對君王專制下，巴洛克美學的誇張與矯情之美。

路易十四左手插腰，右手撐著權杖，他的左腳在前，右腳在後，擺出丁字形的站法。

路易十四頭上的假髮，蕾絲的衣領、衣袖，特別是藍色絲絨的大禮服，上面用金線繡出皇室的百合花圖案，藍白的大披風鋪滿整個畫面，與他頭上緋紅色的巨大簾幕呼應，都達到巴洛克藝術極度華麗與誇張的極致。

路易十四腰間的佩劍，緊身褲上的緞帶織花，紅色高跟鞋上的鑲飾，地面上地毯的金碧輝煌，這一切在絕對君王權力下完成的美學，一一使人讚嘆，但也可能事過境遷，所有的榮華只變成供人嘲笑噴飯的矯情做作。

路易十四被稱為太陽王，是法國歷史上全盛時代的標誌，藝術家也只有在他的指令下把他塑造成一個閃爍的明星。

這麼繁複的服裝細節，當然不可能是畫家李菶一人完成，當時的宮廷畫家像工匠一般奉命做畫，只有臉部是由李菶來執筆。

無論從瞭解羅浮宮、瞭解法國文化或瞭解巴洛克藝術的角度，這都是一件不容忽略的重要作品。

李冕　路易十四肖像／油彩畫布，1704 年，277×194 cm

華鐸　航行愛之島／
油彩畫布，1717 年，
129×194 cm
（左圖，右頁為局部圖）

華鐸　航行愛之島
油彩畫布，1717 年，129×194 cm

　　希臘的愛之女神維納斯，傳說是誕生在一個名叫喜斯拉（Cythera）的小島，這個小島因此也被描繪為充滿愛的島嶼。

　　華鐸（Jean Antoine Watteau, 1684-1721 年）活躍在路易十四後期與路易十五的初期。此時，法國的巴洛克藝術正在轉型，原有宮廷的華麗莊嚴，逐漸被一種更纖巧輕盈的美學取代，歌功頌德的君王威儀也轉變成慵懶而優雅的田園閒逸之風。

　　以這件知名的「航行愛之島」來看，畫面主題本身就是一種神話夢幻式的浪漫，一對一對衣著華麗、姿態優雅的男女，嚮往著神話世界的愛情之鄉，他們列隊出遊，似乎正要上船，航向夢中國度；或者正從夢之國度冶遊歸來，站在高坡上的男子牽著美麗仕女的手，他們彼此眉目傳情，彼此耳鬢廝磨。從巴洛克的權威莊嚴轉變到洛可可式的輕盈優雅，當時的上層社會流行聽歌劇，看輕喜劇，流行踮腳尖的芭蕾舞，講話輕聲細氣，這些時代特徵都一一呈現在華鐸的畫中。

　　十八世紀的洛可可風在路易十四太陽王的霸權之後，有點「夕陽無限好」式的頹廢與耽溺之美，也帶著些許盛世繁華走向頹靡的感傷。

　　華鐸在整個歐洲繪畫上代表一種新的畫風，一般人以「節慶風」（Fete Galantes）來稱呼他的創作，他受巴洛克前代大師魯本斯影響，追求逸樂之美，但是華鐸的油畫筆觸特別隨意輕鬆，從嚴謹的古典主義形式中解放出來，他使大自然的光線，雲影交錯，水光迷離，變成更自由活潑的渲染，就像當時流行的巴洛克水上音樂一樣，配合著節日煙火，形成一種既華美又幻夢的美學印象。如果普桑的畫作深奧嚴謹，像一冊論文，那麼，華鐸則開創了悠閒隨興的散文詩傳統。

華鐸　彼埃洛╱油彩畫布，1718 年，185×150 cm（上圖，右頁為局部圖）

華鐸　彼埃洛
油彩畫布，1718 年，185×150 cm

　　彼埃洛（Pierrot）是華鐸著名的作品，畫面上畫了一個穿白色綢緞戲服的演員，有點呆板地站立著，好像演戲演了一半，忽然被人叫住，有點錯愕而不知如何措置手足。

　　華鐸和當時法國上層階級接觸，常常看戲劇表演，來自義大利的流浪戲班，演出一些逗趣的輕型喜劇，畫面下方似乎還可以看到左下角有騎驢子的醫生，右下角有希臘傳說中的一對戀人和船長。

　　這些戲劇演員賣力演出，討好有錢人，賺一點生活費，因此，當華鐸慎重地為「彼埃洛」畫像時，就使人感到一種人生如戲的荒謬感。

　　「彼埃洛」從十八世紀開始就成為法國人喜愛的戲劇角色，他逗大家笑，看起來有點傻，卻也可能是為了討好觀眾而裝瘋賣傻。

　　這種「丑角」式的演員一旦正經擺出姿態讓人畫像，就像忽然看見了卸裝後洗去油彩的小丑真實臉孔一樣，使人感覺到荒謬與悲哀感。

　　許多人覺得華鐸是以「彼埃洛」暗喻自己，為謀生而討好有錢人的藝術家都有「小丑」式的悲哀與卑微心理。

　　接近啟蒙運動的時代，華鐸也提早地預告了另一種對人性思考的來臨，肖像中不再是帝王貴族的趾高氣昂，而是一個平凡卑微人物活過的認真與尊嚴。

布歇　黛安娜出浴／油彩畫布，1742 年，56×73 cm（上圖，右頁為局部圖）

布歇　黛安娜出浴
油彩畫布，1742 年，56×73 cm

　　布歇（Francois Boucher, 1703-1770 年）是法國洛可可時期最具代表性的畫家。

　　洛可可風追求華麗的夢幻之美，追求神話傳說的異想世界，追求感官享樂的閒逸慵懶，追求人的肉體與自然田園之美的融合與解放。

　　黛安娜是希臘神話的狩獵之神，也是月亮女神，畫中的女神額頭上有一彎新月，旁邊堆放著她打獵用的弓箭和捕獲的獵物。

　　然而，布歇並不著重在描寫女神的打獵，卻是描繪打獵之後的沐浴。

　　女神全身潔白如玉，豐滿圓潤的肉體，翹起左腿，赤裸裸不顧任何隱私的坦蕩，這些女性肉體大膽的呈現正是路易十五王朝洛可可風的典型表現。

　　路易十五追求逸樂之美，他寵愛的情婦龐巴度夫人（Pompadour）更是極力推崇洛可可享樂之風的美學，帶動整個輕盈纖巧之美的時代潮流。

　　布歇在 1765 年成為宮廷首席畫家，他的畫風自然滿足著當時的權貴階級。

　　布歇以女性肉體唯美表現的作品，受到當時啟蒙運動學者的抨擊，狄德洛（Diderot）就曾經攻擊布歇的畫作「淫蕩」、「沒有節制」，也因此，在大革命後布歇一度成為美學上被攻擊的箭靶，也使他的作品長期被忽略，一直到十九世紀中期，羅浮宮才重新陳列他的作品。

　　作為一個時代的標誌，布歇當然有重要的代表性，他對女性肉體坦然無隱晦地描寫，不僅代表洛可可追求解放的精神，也影響法國後世如雷諾瓦等畫家的畫風，成為法國美學不可或缺的一部分。

　　黛安娜常常獨自在月光下徘徊於叢林水澤間，艷若桃李，冷如冰霜，她不輕易與人接近，也許正是因為這種特殊的神話隱祕個性，使布歇完成引人遐思，引人偷窺的動機，也更增加了人們對女性肉體私密的想像慾望。

夏丹　感恩

油彩畫布，1740 年，47×38 cm

　　十八世紀的法國，在大革命前，充滿各種不同的思潮。

　　一方面看到宮廷洛可可藝術追求極度奢華的唯美，像布歐的作品，充斥著神話的夢幻，總是月光下的沐浴，田園中的野宴，豪華的歌舞與享樂；然而，另一方面，像夏丹（Jean Baptiste Simon Chardin, 1699-1779 年）這樣的畫家，把注意力凝聚在小市民微不足道的日常生活，描寫最平凡無奇的生活細節，使樸素簡單的信仰成為美學的依據。

　　美學家狄德洛曾經大肆攻擊布歐洛可可式的女體淫猥，也大力稱讚夏丹這一件「感恩」作品中崇高的信仰。

　　隔了兩百多年，今天同時在羅浮宮看到布歐與夏丹並列，也許可以使我們對一個時代的藝術有不含偏見的寬容，也看到同一個時代看來對立的雙方，各自存在的意義與價值吧！

　　夏丹這件叫做「感恩」的作品主題非常明確，一個普通家庭的主婦，準備好晚餐，身上還圍著藍布圍裙，兩個孩子坐在桌邊，似乎急著要品嚐佳餚，但是主婦似乎用眼神暗示坐在矮凳上的小女孩，應該在餐前向上天感謝恩典，可以享有美好的食物。

　　小小的一個角落空間，牆上掛著鍋子，地上有火爐，看來像是廚房一角，小孩們的玩具還丟在地上，一切現實生活中的細節，使畫家提醒著「感恩」這一古老的傳統，是宗教的儀式，也是日常生活遵奉的道德。

　　啟蒙運動以這張畫抨擊當時皇室貴族奢華而無信仰的生活，對比人民在簡樸生活中卻保有崇高的道德信仰。

　　有趣的是，夏丹這件作品也是當時崇尚洛可可風的國王路易十五的私人收藏，似乎在奢華的追求中，帝王仍然瞭解到人民生活的另外一種價值。

夏丹　感恩╱油彩畫布，1740 年，47×38 cm

夏丹　魟魚
油彩畫布，1725-26 年，20×65 cm

　　夏丹顯然承繼了北方荷蘭畫派對靜物精密的寫實傳統，在一張小小的靜物畫裡營造使人驚悚的感覺。

　　荷蘭新教傳統一直重視人靠自己勞力獲得的物質，海裡捕來的牡蠣、魚，自己製作的陶器水罐、金屬的刀、紡織的白色餐巾、大銅鍋……這些看來沒有生命的「物質」，因為人的努力，都顯現出近似神所賜與的恩典，也使北方的靜物畫特別有一種信仰的內涵。

　　夏丹雖然繼承這一傳統，用極精密的寫實技法畫出每一件物質的細節，形狀、重量、質感、色彩。但是，夏丹這件作品中的「魟魚」卻給人一種戲劇性的驚悚。

　　魟魚頭部有一張像人一樣的臉，一對眼睛，一張嘴巴，充滿疑惑茫然的表情。

　　魟魚肚子被剖開了，流著紅色的血，露出藍灰的內臟血管，對比著白色的皮肉，透露出生命不可解的荒涼感。

　　在一堆靜物之間，一隻貓似乎剛跳上桌子，呲牙咧嘴，似乎賁張著身上的毛，彷彿要露出最猙獰的殘酷表情。

　　夏丹絕不只是一個靜物畫家，在洛可可充斥奢華唯美的時代，他似乎看到一種人性底層的騷亂不安，一種獸性的真實在撕破華美假象。

　　夏丹死後，法國發生大革命，在他小小的靜物畫裡似乎預告著一種不祥，一場翻天覆地的慘烈的殺戮，將結束一切洛可可式假象的奢華與夢幻。

大衛　賀拉斯宣誓／油彩畫布，1784 年，330×425 cm（上圖，右頁為局部圖）

大　衛

　　大衛（Jacques Louis David, 1748-1825 年）是法國大革命前後最重要的畫家，他經歷了洛可可藝術到新古典主義的變遷過程，建立十九世紀學院派繪畫的規則，影響巨大而深遠，他重要的作品多收藏在羅浮宮，是遊覽羅浮宮不可錯過的一位畫家。

大衛　賀拉斯宣誓
油彩畫布，1784 年，330×425 cm

　　這是大衛建立新古典主義畫風最早的一件作品。

　　大衛青年時師承宮廷洛可可畫家布歇，畫風靡麗，在三十歲以後，努力試圖

156

從古典大師普桑的畫風結構重新出發，他選擇了古代羅馬故事中「賀拉斯宣誓」這莊嚴主題，嘗試建立新古典主義嚴謹的美學。

賀拉斯是羅馬一個家族的姓氏，在公元前七世紀，當羅馬與阿巴（Alba）激戰時，賀拉斯家族的三個兄弟慷慨宣誓，與敵人誓不兩立，直到戰死為止。

大衛選擇這一主題，描繪三兄弟在接受父親授與武器，也向父親宣告必死效忠的意志，父親身後則是陷於悲痛中的家族女性。

大衛以這樣主題的作品呼應當時啟蒙運動思潮要求藝術的道德情操，宣揚了愛國主義的偉大。革除原有主流繪畫洛可可風的輕鬆自由，卻給予繪畫沉重而且具悲劇性的道德主題。

畫面左側，三兄弟一字排開，伸手向父親宣誓，頭戴鐵盔，身披戰甲的戰士，雙腳張開站立，形成金字塔的穩定造型，父親雙手高舉，拿著三把劍，劍柄位於畫面的正中央。

在寬三公尺多的巨大畫面，大衛以三個圓拱建築分割畫面，中央圓拱的下緣正好通過三隻劍柄，大衛用非常精密的幾何學計算畫面結構，不再是洛可可式的散漫輕鬆，而是重建新古典主義的嚴格構圖。

人物的姿態都從古典希臘、羅馬雕像而來，充滿莊嚴性與崇高性，即使陷於悲痛中的婦女，每一個人的姿態也都優雅、靜定如同古代雕像。

古典主義相信理性精神，不容許畫面流於情緒煽動，使巨大的畫面有建築紀念碑式的完整，像一個靜止的舞台場景。

157

大衛　塞班女人／油彩畫布，1799 年，385×522 cm（上圖，右頁為局部圖）

大衛　塞班女人
油彩畫布，1799 年，385×522 cm

　　大衛在路易十六時代是宮廷畫家，1789 年法國大革命爆發，大衛支持革命，成為羅伯斯庇爾（Robespiere）的黨人，介入革命憲章制訂，簽署處死路易十六及皇后，成為激進的革命黨人。

　　1794 年羅伯斯庇爾失敗，大衛曾被牽連入獄，也就在這一段時間他開始思考「塞班女人」畫作主題。

　　羅馬建國，國王羅慕路擔心族中缺乏女性，會影響種族生育繁衍，便發動搶奪鄰邦塞班的女人。

　　三年後，塞班國王領軍前來，要奪回自己的女兒，但是他的女兒赫西莉亞（Hesilia）已經是羅馬王羅慕路的妻子，並且生下了小孩。

　　這個古老的羅馬傳說，在十七世紀曾經被法國古典大師普桑畫過，用來表現人體在搶奪與爭戰中的律動感。

　　大衛深受古典主義影響，但他信奉啟蒙運動的精神，賦予畫作較深的道德主

大衛　塞班女人／
油彩畫布，1799 年，
385×522 cm
（右頁為局部圖）

題，因此，把「塞班女人」的場景從「搶奪」改換成「和解」。

　　畫面中一位穿白色衣袍的女子，雙手張開，阻止羅馬與塞班的戰爭。這位白色衣袍的女子是塞班國王的女兒赫西莉亞，她代表純潔、善良、和平，為了維護身邊眾多嬰兒的生命，她奮不顧身，衝入激戰雙方之中，要求停止爭鬥。

　　赫西莉亞左手邊的武士是羅馬國王羅慕路，他也是赫西莉亞的丈夫，頭戴金盔，右手持長矛，左手的盾牌上有給嬰兒餵奶的母狼標誌，正是羅馬建國的符號。

　　羅慕路英挺站立，完全如同一尊古羅馬雕像。

　　赫西莉亞的右手邊是她的父親塞班國王塔調斯（Tatius），原本為了奪回女兒而發動戰爭，看到女兒出面阻止，似乎有一點錯愕，手持盾牌，但右手的武器已經有放下的暗示。

　　大衛巧妙地在前景地面上畫了許多慘遭踐踏的嬰兒，這些嬰兒是羅馬士兵與塞班女人的後代，也更加深大衛試圖使敵對雙方和解的政治意圖。

　　始終置身於政治核心中的大衛，也一直希望以繪畫解決政治的困境，在大革命期間，對立撕破的法國各黨派，殘酷屠殺異己，大衛想以繪畫提醒彼此都是骨肉血親的關係，創作了這件新古典主義重要的作品。

　　畫面在混亂不安的戰爭場面中，使白衣女子輪廓清晰地出現，如同古希臘和平女神的降臨，成為一切騷動恐慌中穩定的力量，也代表了新古典主義一貫信奉的崇高情操。

　　大衛此時深受考古上古希臘雕像古典精神啟發，他在「賀拉斯宣誓」中遵崇羅馬精神，但是在「塞班女人」的創作裡，他說：「我要純粹的──希臘！」正是同時間德國美學家溫寇曼（Johann Winckelmann）提出的希臘「理想美」的典範，完美、純粹、潔淨，重現在畫中赫西莉亞的身上，她不只是人間女子，她事實上是古希臘女神的化身。

大衛　加冕圖

油彩畫布，1804 年，621×979 cm

　　羅浮宮的展示大廳很少人不被這張寬度幾乎有十公尺的「加冕圖」吸引。

　　在政治上歷經波折的大衛，在法國大革命的混亂局面中最後渴望一種穩定的力量。原來信仰革命的大衛，主張推翻王權，實現民主共和，卻又轉向相信新起的政治強人拿破崙也是安定法國的救星。

　　1804 年 5 月，拿破崙稱帝，大衛成為拿破崙的御用畫家，且順理成章接下了畫「加冕圖」的工作。

　　革命黨員成為御用畫家，「加冕圖」也許是大衛藝術上登峰造極之作，卻也充滿了矛盾與荒謬的嘲諷。

　　大衛在巨大的畫面中以古典主義嚴格的結構，呈現了華麗而驚人的加冕場面。

　　畫面的焦點在拿破崙與約瑟芬身上。依據歐洲的慣例，「君權神授」，皇帝加冕，要由教皇代表「神」來完成。但是，拿破崙讓教皇坐在後方，他自己給自己加冕。

　　　　　　　　大衛　加冕圖／油彩畫布，1804 年，621×979 cm（上圖，右頁為局部圖）

大衛　加冕圖／油彩畫布，1804 年，621×979 cm（左右頁為局部圖）

　　拿破崙的服飾是羅馬帝王的翻版，頭戴桂冠，身穿白袍，紅色繡金線的披肩。

　　拿破崙雙手高舉皇冠，正要給跪在他面前的約瑟芬加冕，約瑟芬雙手合十，也是白色長袍，紅色繡金線的長絲絨披肩。

　　畫面上紳士淑女列隊參與大典，拿破崙的兄弟姐妹都在其中。畫面正中央，坐在貴賓包廂席位中的是拿破崙的母親，她因為反對拿破崙封約瑟芬為后，沒有參加加冕，但是拿破崙命令大衛把母親畫在畫中，大衛也奉命「合成」。

　　堂皇富麗的建築，鉅細靡遺的衣飾、傢俱，大衛運用了極其精細的寫實手法，建構起史詩性的偉大畫面，但是，新古典主義原來信仰的道德情操已經受到扭曲，大衛本身也參與了歷史作假的工作，使新古典主義的精神受到懷疑。

　　拿破崙失敗後，路易十八執政，大衛接受審判，被流放比利時，在異域結束他錯綜複雜的一生。

安格爾　里維耶少女／
油彩畫布，1806 年，
100×70 cm（右頁圖）

安格爾　里維耶少女
油彩畫布，1806 **年**，100×70 cm

　　大衛帶領的「新古典主義」影響整個十九世紀的法國畫壇，特別是經由學院美術教育及沙龍評審制度，成為主控潮流的力量，在羅浮宮有許多十九世紀上半葉的繪畫都屬於新古典主義，他們以希臘、羅馬故事為主題，追求唯美詩意的表現，像傑哈（Gerard）、普魯東（Phrudon）……都是，而最重要的大衛的繼承者則無疑是安格爾（Jean Auguste Dominique Ingres, 1780-1867 年）。

　　安格爾這一幅「里維耶少女」是他 1806 年的作品，新古典主義還在全盛時代。

　　安格爾與里維耶一家是好朋友，曾替里維耶先生、夫人畫過像，表現出當時上層階級的儀表與教養。

　　名叫卡洛林（Caroline）的里維耶家族的女兒，正值豆蔻年華，穿著白色長袍、圍貂皮披肩、戴長手套，安格爾以極精細的筆觸畫出不同織品的質感，連腰部一條細絲緞帶的明亮反光都掌握得極為準確。

　　這件作品最迷人的地方在於安格爾以完全素淨的方法，描繪出少女如滿月一般天真無邪的面容，嫻靜優雅的笑容，呈現出內在平和溫柔的心靈世界。

　　安格爾崇拜拉斐爾，這張畫創作於他去義大利習畫之前，但背景深遠而安靜的風景，灰藍色的天空，都已經有直追拉斐爾美學的意圖。

　　新古典主義試圖在當代人物肖像中建立古典精神的完美崇高，安格爾在同時代人物的肖像畫中表現特別成功。

安格爾　仕女
油彩畫布，1814 年，91×162 cm

　　在西方繪畫中一直有畫東方裸女的傳統，這一類的畫通稱為仕女（Odalisque），原來意指西亞阿拉伯後宮的美麗妃嬪，她們的裸體充滿神秘幻想性，成為西方自文藝復興以來男性畫家筆下的長久主題。

　　在垂著深藍色錦緞簾幕的床褥上，一名裸女斜躺著，上半身靠著軟墊，右手拿著一把孔雀尾羽做的扇子，頭上包著頭巾的美麗女子，轉身回頭一瞥，充滿了神祕不可解卻極具魅力的表情。

　　安格爾描繪著女子柔軟、蜷曲、蜿蜒的裸體，從優雅的頸部，通過肩胛，到纖細的腰部，連接著豐腴的臀部到大腿、小腿、足踝、腳掌，一條完美的曲線，如無懈可擊的新月弧線。然而這條令眾多美學家讚嘆的曲線，在 1819 年這件作品展出時，卻遭到許多評論家攻擊，認為安格爾違背了他的老師大衛建立的解剖學規則，背叛了新古典主義。

　　的確，以正確的解剖學來檢查，安格爾畫的裸女脊椎多了兩節到三節；但是，顯然安格爾為了完成視覺上曲線的完美，不惜違反客觀的解剖學的正確性。

　　美，並不是科學，安格爾也大膽否定了老師大衛的學院傳統，使他的裸女對後代畫家有革命性的啟發。

　　新古典主義仍在發揮影響力，安格爾之後以「土耳其浴女」為主題的繪畫，更大膽突破古典限制，給予人體唯美的另一種可能，在羅浮宮安格爾後期的浴女圖也是不該錯過的視覺饗宴。

　　　　安格爾　仕女／油彩畫布，1814 年，91×162 cm（上圖，右頁為局部圖）

卡諾瓦　愛神吻醒賽姬
雕刻，1793 **年**，155×168×101 cm

　　羅浮宮新古典主義的繪畫如大衛、安格爾的作品都收藏非常豐富，可以說是羅浮宮典藏品的主流。

　　新古典主義時期義大利的雕刻家卡諾瓦（Canova, 1752-1822 年），作品優雅纖巧，是當時貴族上層社會最喜愛的藝術家。

　　羅浮宮中有一件卡諾瓦的精美作品不容錯過，名叫「愛神吻醒賽姬」。

　　愛神是希臘神話中維納斯的兒子，一對小翅膀，手中拿著弓箭，被他的箭射到，就會墜入愛情的迷戀中。

　　愛神有一次見到人間美女賽姬，情不自禁，自己也陷入戀愛之中。

　　人神相戀在曖昧的黃昏之後，幽微夜色，賽姬看不清愛人的身影，受同伴唆使，趁愛神沉睡，點燃了燭火，不料蠟油燙傷愛神，展翅飛去。

　　人神相戀，賽姬是人的肉體，終將消亡，最後由宙斯賜予賽姬永生的生命。

　　卡諾瓦描寫展翅的愛神，像沉迷於愛情的少年，深情地吻醒死亡肉體的賽姬，使她在完美的愛中復活甦醒。

　　賽姬大夢初醒，仰身雙手環抱愛神，愛神低頭相擁，高高立起的翅翼彷彿在風中顫動，這是新古典主義唯美的極致，除了精巧的雕刻技法，內涵著純淨無瑕垢的崇高精神更是使人留連迷戀。

傑利訶　梅杜莎之筏／油彩畫布，1819 年，491×716 cm（上圖，右頁為局部圖）

傑利訶　梅杜莎之筏
油彩畫布，1819 年，491×716 cm

　　拿破崙失敗之後，原來圍繞著拿破崙為中心的新古典主義作品忽然顯得荒謬而嘲諷，如同許許多多懸掛在羅浮宮的戰役圖，畫中拿破崙騎著白馬，永遠像一個英雄，而戰場上死傷無數的軍士都彷彿只是沒有價值的生命。

　　浪漫主義因此取代了新古典主義。

　　浪漫主義相信人性的價值在超越自己生命的難度，藝術中歌頌的英雄並非真正英雄，每一個人在困境中的自我完成都可以是英雄。

　　傑利訶（Theodore Gericault, 1797-1824 年）是浪漫主義法國繪畫最重要的啟蒙者，他在 1819 年以船難事件創作的「梅杜莎之筏」更是法國浪漫主義典範性的作品。

　　1816 年一艘名叫「梅杜莎」的船隻在船長誤航下失事，在塞內加海灣沉船，150 名人員靠著浮木編成木筏，在海上漂流了十三天，最後只有十人獲救生還。

　　這件海難事件震驚法國，引爆政治責任，史學家甚至認為這艘船的失事正象徵著整個法國政府的鬆散無能，沒有處理危機事件的能力。

　　畫家傑利訶決定以這一事件創作，他走訪生還的人，瞭解災難中人的恐懼，瞭解求生意志的狀態，瞭解最後有人是在大海中靠啃食屍體活下來的。

　　蒐集許多資料，做了許多素描，傑利訶剃光了頭，把自己關在畫室六個月，不見任何人，畫下這張偉大的史詩性作品。

　　在驚濤駭浪的大海中，木筏上堆疊著人體，有的已成為死屍，匍倒在筏上，有的奮力掙扎，拉動風帆，天空烏雲密佈，在一大片沉鬱的黑暗中，遠遠的海平面上一線光亮，透露出船隻來營救的微小信號，木筏上的人攀爬起來，堆成金字塔型，最尖端一名男子高舉手中揮動的白布，這是瀕臨死亡的人最後求生的嘶叫。

　　沒有巴洛克的華麗，沒有洛可可的纖巧，沒有新古典主義的優雅，傑利訶以最粗獷的筆觸在畫布上撞擊出人的身體在大災難中求生存的偉大力量。

　　人與自然搏鬥，人與自身的限制搏鬥，浪漫主義的精神正是個人自我超越的孤獨與自負。

　　傑利訶改寫了法國美學，以一項震撼人心的船難事件把法國的藝術帶領到另一個高峰。

　　如同貝多芬的命運交響曲，同樣作為浪漫主義美學的重要人員，傑利訶的「梅杜莎之筏」有同於貝多芬音樂上震撼的強度。

傑利訶　瘋婦
油彩畫布，1819-24 年，77×64.5 cm

　　傑利訶像許多浪漫主義的藝術家，他們相信，真正的美不在畫室中，不是唯美的修飾，而是更真實地進入生活的現實，觀看生命的本質。

　　傑利訶只活了三十二歲，在他後期，曾經不斷以精神病患為主題，創作一系列瘋子的肖像，為西方美術史開創全新的領域。

　　傑利訶當時認識了研究精神病的醫生喬杰（Georget），醫生告訴傑利訶，精神病患因為心理的某種特質，例如幻想做國王，幻想賭博大贏，幻想有神附身……，這些「幻象」會在他們的五官上產生一種異變。喬杰靠這些五官上的徵兆來研究病情，他也鼓勵傑利訶以繪畫來做記錄。

　　傑利訶這一件「瘋婦」是畫一名有賭博狂的婦人，被心中的狂熱驅使，眼睛紅腫，流露出被巨大渴望折磨的焦慮與焦慮後的沮喪。

　　傑利訶以極真實的筆法記錄受精神之苦的人的面孔，充滿了悲憫，充滿了對人性最卑微存在的關心與愛。

　　在羅浮宮看到太多誇張英雄史詩的虛華作品，站在這一件「瘋婦」前面，會感覺到完全不同的審美經驗，傑利訶正是在做最徹底的美學革命，把人類的審美帶到更深沉也更崇高的階段。

　　傑利訶雖然被歸為浪漫主義名下，但是他這一類的作品，已遠遠超過了同時代畫家，為二十一世紀新的藝術打開最早的一扇窗。

傑利訶　瘋婦／油彩畫布，1819-24 年，77×64.5 cm

國家圖書館出版品預行編目資料

從羅浮宮看世界美術 ／ 蔣勳著. -- 增修初版. --
臺北市 ： 臺灣東華, 民 98.11
面； 公分

ISBN 978-957-483-574-4（平裝）

1. 羅浮宮 (Le Louvre) 2. 美術館 3. 藝術品
4. 美術史 5. 法國

906.8   98019408

LOUVRE
musée du

從**羅浮宮**看世界美術

蔣 勳 著   ISBN: 978-957-483-574-4

發 行 人   卓劉慶弟
出 版 者   臺灣東華書局股份有限公司
地   址   臺北市重慶南路一段一四七號三樓
電   話   (02) 2311-4027
傳   真   (02) 2311-6615
郵   撥   00064813
網   址   http://www.tunghua.com.tw
製版印刷   欣佑彩色製版印刷股份有公司
出版日期   中華民國九十八年九月初版
增修日期   中華民國九十八年十一月增修初版

行政院新聞局新聞局局版臺業字第○七二五號

定價　新臺幣 350 元整